Niveau A1/A2

Les 500
EXERCICES DE
PHONÉTIQUE

CD MP3 inclus (6 h 45 mn d'enregistrement)

Dominique ABRY
Maître de conférence en didactique du FLE
Université Stendhal – Grenoble 3

Marie-Laure CHALARON
Maître de conférence en didactique du FLE
Université Stendhal – Grenoble 3

hachette
FRANÇAIS LANGUE ÉTRANGÈRE
www.hachettefle.fr

Avant-propos

Les 500 exercices de phonétique s'adressent à des apprenants de Français Langue Étrang[e] adolescents ou adultes, **en début d'apprentissage**. L'ouvrage propose des exerci[ces] d'entraînement correspondant aux niveaux A1 et A2 du **CECR** (Cadre européen commun[de] référence).

Présenté en trois parties, et accompagné d'un **CD audio** MP3 de 6 h 45 mn d'enregistreme[nt] il est conçu pour être utilisé en situation d'auto apprentissage et en situation d'apprentiss[age] guidé.

Les numéros des pistes du CD sont indiqués sur le picto de chaque exercice enregistré.

Le livre contient :
• des **explications simples** et fondamentales sur le système phonétique du français stand[ard] et sur les erreurs commises par les apprenants ;
• une large gamme d'**exercices** :
– d'observation et de perception (identification, discrimination),
– d'entraînement articulatoire, rythmique et intonatif,
– de phonie-graphie pour une sensibilisation au code orthographique ;
• des **textes** pour travailler seul(e) ou en classe la **diction** et l'**interprétation** ;
• des tableaux récapitulatifs.

En fin d'ouvrage, des **annexes** et les **corrigés** des exercices complètent cet outil [qui] nous l'espérons, répondra aux attentes des apprenants et des enseignants de FLE.

Les auteu[rs]

Offre spéciale : logiciel d'accompagnement **Speedlingua**
Une remise de 10 % sera accordée pour tout achat effectué sur www.speedlingua.com à l'a[ide] du code promotionnel : HACHET10

Couverture : Amarante
Maquette intérieure : Médiamax
Schémas, illustrations : Lionel Auvergne
Photos : Marie-Laure Chalaron

Réalisation : Médiamax
Secrétariat d'édition : Anne Bancilhon
Poésies : Marie-Laure Chalaron

ISBN 978-2-01-155698-1
© HACHETTE LIVRE 2010, 43 quai de Grenelle, F 75905 Paris Cedex 15.
Tous droits de traduction, de reproduction et d'adaptation réservés pour tous pays.

Sommaire

Conseils aux enseignants

En matière d'introduction nous tenterons de répondre aux questions
que se posent les enseignants de FLE.

FAUT-IL FAIRE DE LA PHONÉTIQUE EN CLASSE DE LANGUE ?

Oui, à tous les niveaux, et tout particulièrement en début d'apprentissage. La phonétique a sa place ta
au niveau de l'*audition* que de la *production*.

Pourquoi ?

• Parce que la langue est avant tout une matière sonore.
• Parce que la phonétique est une composante essentielle du langage avec le lexique, la grammaire
le code orthographique.
• Parce que la sensibilisation aux *phénomènes phonétiques* ou *phonologiques* (et leur observation) favor
la compréhension et la production de la langue étrangère.
• Parce que, sans une certaine maîtrise du code phonétique, on risque de ne pas être du tout intelligi
à l'oral.

Comment ?

De manière régulière et systématique :
• en s'appuyant sur les descriptions théoriques articulatoires et acoustiques du français ;
• en développant la capacité naturelle à *entendre*, *observer*, *comparer* et *imiter* des apprenants.
Ceux-ci doivent mettre en place de nouvelles habitudes articulatoires.
• En s'appuyant sur les sons voisins dans la langue source (leur langue maternelle) et dans les m
d'emprunts que toute langue comporte.

QU'EST-CE QUI CARACTÉRISE LE FRANÇAIS ?

• Le **système vocalique** du français est riche en **voyelles** et particulièrement en voyelles *antérieures* (
[i], [y], [e], [ɛ], [ɛ̃], [ø], [œ]), en voyelles *arrondies* ([y], [ø], [œ], [u], [o], [ɔ], [ɔ̃], [ɑ̃]) et en voyelles *nasales* (
[ɑ̃], [ɔ̃]).
Les voyelles ne sont jamais diphtonguées. Elles sont réalisées avec une certaine tension, ce qui don
l'impression de sons stables. La variation de durée n'a pas de valeur significative : elle tend de plus
plus à être dépendante de la consonne qui suit.

• Le français a un **système consonantique** caractérisé par l'*antériorité* (toutes les consonnes, sauf [k], [
[ʀ]), par l'*opposition sourde/sonore* et par un [ʀ] *uvulaire* doux.

• Le français préfère les syllabes terminées par une voyelle (**syllabes ouvertes :** 70 %) aux syllab
terminées par une consonne (**syllabes fermées**). Les phénomènes de l'**enchaînement** consonantique
de la **liaison** accentuent cette tendance.

• L'**accent** en français n'est pas un accent de mot mais un *accent de groupe rythmique* qui comporte
trois à sept syllabes. L'accent est toujours placé sur la dernière syllabe du groupe syllabique. Les syllab

ENTRAÎNEMENT

---

4 Répétez (↓). Placez l'accent sur la dernière syllabe. Allongez-la.

En voyage...

2 syllabes	3 syllabes	4 syllabes	5 syllabes
— ___ ˊ	— — ___ ˊ	— — — ___ ˊ	— — — — ___ ˊ
partir	voyager	passer la douane	ouvrir ses bagages
une carte	un passeport*	enregistrer	une réservation
un car	un visa	l'embarquement	une carte de séjour
un sac	une valise	une salle d'attente	l'enregistrement
une gare	un‿avion**	une file d'attente	un‿aéroport**

>>> * Voir partie II-4, *Le* [ə] *instable* (pages 69-76). <<<

>>> ** Voir partie I-3, *Liaisons et enchaînements* (pages 23-28). <<<

5 Répétez (↓). Allongez un peu la voyelle de la dernière syllabe.

— — ___	— — — ___	— — — — ___
Bon-jour.	À-mar-di.	À-mar-di-soir.
Bon-soir.	À-same̸-di.	Ex-cu-sez-moi.
Au-re̸voir.	À-ce-soir.	À-tou-t‿à-l'heure̸.
Par-don.	Ça ne̸-va-pas.	Je-peux-m'a-sseoir ?
Mer-ci.	Dé-so-lé(e).	La-pla-ce‿est-libre̸ ?
D'a-ccord.	S'il-vous-plaît.	Je ne̸-com-prends-pas.*

>>> * Voir partie II-4, *Le* [ə] *instable* (pages 69-76). <<<

6 Répétez syllabe par syllabe.

1.

[si]
[tisi]
[sɛtisi]
C'est ici.

[vɛʁ]
[tuvɛʁ]
[sɛtuvɛʁ]
C'est ouvert.

[pe]
[kype]
[tokype]
[sɛtokype]
C'est occupé.

2.

[kɛ̃]
[ʁikɛ̃]
[meʁikɛ̃]
[tameʁikɛ̃]
[lɛtameʁikɛ̃]
[ilɛtameʁikɛ̃]
Il est américain.

[ɲɔl]
[spaɲɔl]
[tɛspaɲɔl]
[lɛtespaɲɔl]
[ɛlɛtespanjɔl]
Elle est espagnole.

[ʒe]
[tʁɑ̃ʒe]
[tetʁɑ̃ʒe]
[sɔ̃tetʁɑ̃ʒe]
[ilsɔ̃tetʁɑ̃ʒe]
Ils sont étrangers.

3.

[mi]
[nami]
[tɛ̃nami]
[sɛtɛ̃nami]
C'est un ami.

[mi]
[nami]
[tynami]
[sɛtynami]
C'est une amie.

[ka]
[voka]
[navoka]
[mɔ̃navoka]
[sɛmɔ̃navoka]
C'est mon avocat.

Rythme et accents

7 **Répétez (↓). Placez l'accent sur la dernière syllabe : allongez-la.**

1.	mars	3.	le 2	5.	midi
	6 mars		On est le 2.		mardi midi
	Mardi 6 mars.		On est le 2 janvier.		À mardi midi.

2.	mai	4.	le 10	6.	matin
	10 mai		On est le 10.		demain matin
	Jeudi 10 mai.		On est le 10 octobre.		À demain matin.

8 **Répétez. Placez l'accent sur la dernière syllabe : allongez-la.**

Exemple : *Je mange, je dors.*
Je mange bien, je dors bien.

1. Je lis, j'écris.
   Je lis peu, j'écris peu.

2. Je marche, je cours, je nage.
   Je marche vite, je cours vite, je nage vite.

3. Je ris, je pleure.
   Je ris beaucoup, je pleure beaucoup.

9 **Répétez (→). Mettez l'accent sur la voyelle de la dernière syllabe de chaque groupe rythmique.**

un café	un café serré	un petit café / très serré
un thé	un thé au lait	un thé au lait / très léger
une bière	une bière blanche	une bière blanche / bien fraîche
un steak	un steak haché	un steak haché / bien cuit
une salade	une salade verte	une salade verte / sans sel

10 **Pendant une première écoute, observez les groupes rythmiques.**
Puis répétez en gardant le rythme.

— / — — / — — —   — / — — / — — —

Exemples : *Oui, c'est là, c'est par là.*   *Non, vraiment, impossible.*

1. Oui, d'accord, je veux bien.
2. Oui, c'est ça, c'est très bien.
3. Bien, très bien, c'est parfait.

4. Non, pas là, pas par là.
5. Non, vraiment, ça ne va pas.
6. Non, demain, je ne peux pas.

11 **Prononcez ces phrases (→) en respectant le nombre de syllabes et le rythme.**

— — / — — —   — — / — — — —   — — / — — — — —

1. Je vis / à Nice,   tu vis / à Paris,   elle vit / à Tahiti.
2. Il pleut / à Tours,   il pleut / à Genève,   il pleut / à Monaco.
3. Elle aime / le thé,   tu aimes / le café,   il aime / le chocolat.
4. Je prends / un bus,   tu prends / un taxi,   elle prend / une bicyclette.

Rythme et accents

12 Prononcez ces phrases (→) en respectant le nombre de syllabes et le rythme.

— — — / — — — — — — / — — — — — — / — — — —

1. Je connais / la France,	tu connais / la Belgique,	il connaît / la Roumanie.
2. Je visite / Madrid,	tu visites / Mexico,	elle visite / Bratislava.
3. Tu es né / en Chine,	il est né / au Chili,	elle est née /en Australie.
4. J'aime beaucoup / Berlin,	j'aime beaucoup / Amsterdam,	j'aime beaucoup / Jérusalem.

13 Réduisez le nombre de syllabes (français familier).

Exemple : Ce n'est pas par là. (5) → Cǝ n'est pas par là. (4) → C'est pas par là. (4).

Ce n'est pas fini.	→ Cǝ n'est pas fini.	→ C'est pas fini.
Ce n'est pas fermé.	→ Cǝ n'est pas fermé.	→ C'est pas fermé.
Ce n'est pas facile.	→ Cǝ n'est pas facile.	→ C'est pas facile.
Ce n'est pas gentil.	→ Cǝ n'est pas gentil.	→ C'est pas gentil.

INTERPRÉTATION

14 Lisez ce texte à voix haute, puis écoutez-le.

Ga
Gama
Gamana
Gamanapo
Gamanapoli
Gamanapolitu
Gamanapolitupitro
Gamanapolitupitropi
Gamanapolitupitropitrumo-sur-Seine*

André Frédérique, « Mon village »,
in Poésie sournoise, éditions Plasma (DR).

* Nom de village imaginaire.

Rythme et accents

2 Intonation

DISCRIMINATION

1 Entendez-vous deux phrases identiques (=) ou différentes (≠) ? Cochez.

Exemples	*Ça va. Ça va.*	=	≠
		✔	
	1.	…	…
	2.	…	…
	3.	…	…

	Ça va ? Ça va.	=	≠
			✔
	4.	…	…
	5.	…	…
	6.	…	…

2 La voix monte (↗) ou descend (↘) ? Cochez.

Exemples	*Il est canadien ?*	↗	↘
		✔	
	1.	…	…
	2.	…	…
	3.	…	…

	Il est canadien.	↗	↘
			✔
	4.	…	…
	5.	…	…
	6.	…	…

ENTRAÎNEMENT

3 Après une première écoute (↓) des mini-dialogues, reprenez les réponses en même temps que le locuteur.

2 syllabes	3 syllabes	4 syllabes	5 ou 6 syllabes
« Da da ? — Da da. »	« Da da da ? — Da da da. »	« Da da da da ? — Da da da da. »	« Da da da da da ? — Da da da da da ?
« C'est là ? — C'est là. »	« C'est par là ? — C'est par là. »	« C'est bien par là ? — C'est bien par là. »	« On peut passer par là ? — On peut passer par là. »
« Mardi ? — Mardi. »	« À mardi ? — À mardi. »	« À mardi soir ? — À mardi soir. »	« Rendez-vous mardi ? — Rendez-vous mardi. »
« Six jours ? — Six jours. »	« Dans six jours ? — Dans six jours. »	« C'est dans six jours ? — C'est dans six jours. »	« Il vient dans six jours ? — Il vient dans six jours. »
« Fini ? — Fini. »	« C'est fini ? — C'est fini. »	« Tout est fini ? — Tout est fini. »	« C'est vraiment fini ? — C'est vraiment fini. »
« Elle part ? — Elle part. »	« Elle part seule ? — Elle part seule. »	« Elle part toute seule ? — Elle part toute seule. »	« Elle va partir sans lui ? — Elle préfère être seule. »

VARIATION : répétez horizontalement (→).

4 Après une ou deux écoutes, répondez en même temps que le locuteur B.

2 syllabes	3 syllabes	4 syllabes
A « Allô ?	A « C'est pour qui ?	A « Tu es malade ?
B — Allô.	B — C'est pour toi.	B — Je ne suis pas bien.
A — C'est toi ?	A — C'est pour moi ?	A — Depuis longtemps ?
B — C'est moi. »	B — C'est pour toi. »	B — Depuis ce matin. »
A « C'est qui ?	A « On commence ?	A « Vous comprenez ?
B — C'est Pierre.	B — Si tu veux.	B — Je ne comprends pas.
A — Et elle ?	A — On y va ?	A — Je parle vite ?
B — C'est Lou. »	B — On y va. »	B — Beaucoup trop vite. »
A « Tu viens ?	A « Vous aimez ?	A « Quelle heure est-il ?
B — J'arrive.	B — Oui, beaucoup.	B — Il est onze heures.
A — C'est vrai ?	A — C'est nouveau ?	A — On va manger ?
B — C'est vrai. »	B — Oui, je crois. »	B — Il est trop tôt. »

5 Répétez. Respectez le rythme syllabique et le schéma mélodique.

1. *Exemple :*

→ → → → ↘ → → ↘ → → → → ↘

Elle est née à Lille. Elle est lilloise. Elle connaît bien Lille.

Il est né à Paris. Il est parisien. Il connaît très bien Paris.
Ils vivent à Rome. Ils sont romains. Ils aiment beaucoup Rome.
Ils vivent au Québec. Ils sont québécois. Ils aiment beaucoup le Québec.

2. *Exemple :*

→ → → → ↗ → → → → → ↘

Il travaille en France, mais il n'est pas français.

Elle est chilienne, mais elle n'habite pas au Chili.
Elle s'est mariée en Espagne, mais pas avec un Espagnol.
Il s'est marié en Chine, mais pas avec une Chinoise.

6 Transformez les phrases en français moins familier.

→ → → → ↗ → ↗ → → →

Exemple : Tu t'appelles comment ?   Comment tu t'appelles ?

1. Ça marche comment ?
2. Ça s'est passé comment ?
3. Ça s'écrit comment ?
4. Ça se prononce comment ?
5. Ça coûte combien ?
6. On sera combien ?

7 Répétez en respectant le schéma mélodique de chaque phrase interrogative.

→ → ↗ ↘ → → → →

Exemple : Ça ne va pas ? Qu'est-ce que tu as ?

1. Ça ne marche pas ? Qu'est-ce qui se passe ?
2. Tu as soif ? Qu'est-ce que tu veux boire ?
3. Il est passé ? Qu'est-ce qu'il a dit ?
4. Tu vas au cinéma ? Qu'est-ce que tu vas voir ?
5. Tu lis ? Qu'est-ce que tu lis ?

Intonation

Intonation

8 Répétez les phrases interrogatives. Respectez la succession des schémas mélodiques

→ → ↗   → →→ →   → →→ ↗

Exemple : Vous partez ?   *Vous partez quand ?*   *Vous partez samedi ?*

1. Vous partez ? Vous partez comment ? Vous partez en train ?
2. Tu vas déjeuner ? Tu vas déjeuner où ? Tu vas au self ?
3. Vous cherchez quelqu'un ? Vous cherchez qui ? Vous cherchez un responsable ?
4. Tu pars en vacances ? Tu vas où ? Tu vas au bord de la mer ?
5. Tu sors ? Tu sors avec qui ? Vous allez au cinéma ?

9 Répétez. Respectez le schéma mélodique et la pause.

→ → ↗ → ↗

Exemple : C'est par là, la gare ?

1.
C'est loin, la poste ?
C'est ici, chez toi ?
C'est elle, la directrice ?
C'est lui, le prof* ?
C'est vous, le gardien ?
C'est cher, ce bijou ?
C'est normal, ça ?
C'est interdit, ici ?

2.
Vous êtes là, ce week-end ?
Tu as le temps, aujourd'hui ?
On va au cinéma, ce soir ?
Vous le connaissez, lui ?
Vous le prenez, ce livre ?
Tu l'as vu, ce film ?
Tu l'as rencontré, son mari ?
Tu les as faits, les exercices ?

3.
C'est à quelle heure, le match ?
C'est quel jour, le concert ?
C'est quand, son anniversaire ?
C'est combien, le café ?
C'est combien, le ticket ?
C'est quoi, ce truc ?
C'est qui, lui ?
C'est qui, cette fille ?

* Français familier : prof = professeur.

10 Inversez les deux parties de la phrase en gardant le même schéma mélodique.

→ →   ↗   →→↘   → →↗ →→   ↘

Exemple : Il fait froid, / cet hiver. → *Cet hiver, / il fait froid.*

Il fait beau, / cet été.
Il fait frais, / ce matin.
Il ne fait pas chaud, / aujourd'hui.

Il pleut / à Nice.
Il neige / à Genève.
Il fait zéro / à Chamonix.

11 Répétez. Allongez et accentuez la dernière syllabe.

1. Tu peux venir ?
   Tu peux venir m'aider ?
   Tu peux venir m'aider un moment ?
   Tu peux venir m'aider un moment, s'il te plaît ?

2. Je ne sais pas.
   Je ne sais pas du tout.
   Je ne sais pas du tout où elle est.
   Je ne sais pas du tout où elle est ce matin.

3. Attendez.
   Attendez-moi.
   Attendez-moi cinq minutes.
   Attendez-moi cinq minutes devant la banque.
   Attendez-moi cinq minutes devant la banque, s'il vous plaît.

12 **Prononcez les phrases en respectant le schéma mélodique. Vérifiez votre prononciation.**

→   →   →   ↗   →   →→→   →

Exemple : Vous êtes anglais ou américain ?

1. Vous faites des études de physique ou de chimie ?
2. Vous préférez voyager seul ou avec des amis ?
3. Vous vivez en ville ou à la campagne ?
4. Vous roulez en vélo ou en voiture ?
5. Vous payez par chèque ou par carte bancaire ?

VARIATION : remplacez le pronom *vous* par *tu*, *il*, puis *elle*.

13 **Répétez en insistant sur les mots en majuscules.**

1. Ce n'est pas TA place, c'est MA place.
2. Ce n'est pas SA femme, c'est MA femme.
3. Ce n'est pas MA loi, c'est LA loi.
4. Ce n'est pas SA voiture. C'est MA voiture.
5. Ce n'est pas TON idée, c'est MON idée.
6. Ce n'est pas VOTRE tour, c'est MON tour.

14 **Répétez ces demandes polies.**

1. Vous pouvez répéter ?
   Vous pouvez me prêter un stylo ?
   Vous pouvez parler plus lentement ?
   Vous pouvez patienter quelques instants ?
   Vous pouvez m'indiquer la sortie ?
   Vous pouvez rappeler dans un quart d'heure ?

2. Je peux entrer ?
   Je peux m'asseoir ?
   Je peux vous poser une question ?
   Je peux utiliser le téléphone ?
   Je peux payer par carte bleue ?
   Je peux ouvrir la fenêtre, s'il vous plaît ?

15 **Après une ou deux écoutes, répondez en même temps que le locuteur. Reprenez l'intonation proposée (mécontentement, déception).**

1. « Tu as bien dormi ?
   — Ah non, j'ai très mal dormi ! »

2. « Vous avez compris ?
   — Oh non, je n'ai rien compris ! »

3. « Tu as passé une bonne soirée ?
   — Pas du tout ! Il y avait trop de monde ! »

4. « Il est bien, ce livre ?
   — Non, je n'ai pas du tout aimé l'histoire ! »

5. « Vos vacances se sont bien passées ?
   — Non, j'ai été malade toute la semaine ! »

6. « Vous avez réussi votre examen ?
   — Malheureusement non ! C'était difficile ! »

Intonation

16 **Reformulez les phrases et vérifiez vos réponses.**

→ → → → → ↘   → ↗ → → → → → ↘

Exemple : Il ne peut pas venir. → *Il dit qu'il ne peut pas venir.*

1. Elle téléphonera plus tard.   **3.** Elles ont déjà répondu à l'enquête.
2. Ils n'ont rien reçu.   **4.** Il sera en retard d'un quart d'heure.

17 **Écoutez et reprenez les réponses avec les locuteurs.**

« Qu'est-ce qu'ils disent dans leurs courriels ?

— Elle dit que tout va bien, qu'il fait beau, que le pays est magnifique, que les gens sont aimables, que la cuisine est bonne. Bref… que les vacances commencent très bien.

— Il dit qu'il fait très chaud, que la plage n'est pas belle, que l'hôtel est moche*, que la cuisine est dégueulasse*, que les clients sont bruyants et que la vie est chère. Bref… que les vacances ne commencent pas bien. »

* Français familier : moche = pas joli(e) ; dégueulasse = pas bon(ne).

INTERPRÉTATION

18 **Lisez ces textes à voix haute, puis écoutez-les.**

Au téléphone

1. « Allô… Oui, je suis arrivé… À deux heures… Ça va très bien, oui… Je suis à l'aéroport… Mon train est à 16 heures… Non, pas à 6 heures, à SEIZE heures… Oui, 16 heures 06 exactement… SEIZE HEURES SIX… J'arrive dans trois heures… Non, je prendrai un taxi… À tout à l'heure… »

2. « Allô ?… Lazare ?… Ça ne va pas ?… Qu'est-ce qu'il y a ?… Elle est partie ?… Elle est partie quand ?… Aujourd'hui ou hier ?… Tu es triste ?… Tu es où ?… Qu'est-ce que tu fais ?… Tu veux venir dîner ?… Tu as le code ?… 1789, oui… À tout de suite. »

3. « C'est le docteur Chamoud, oui, bonjour… Parlez, je vous écoute… Venez cet après-midi… Alors venez tout de suite… Non, ne venez pas à pied… Appelez un taxi… Calmez-vous, calmez-vous… Non, n'appelez pas le SAMU… Donnez-lui de l'aspirine et attendez-moi… Non, n'appelez pas les pompiers… Calmez-vous… Je vais venir… J'arrive… »

4. « Allô… Encore !… Non, non, non et non, c'est NON… C'est CLAIR, non ?… Et, ne m'appelle plus… NE-M'A-PELLE-PLUS… Tu comprends ?… Quoi ? Qu'est-ce que tu dis ?… Ah non ! Ça suffit !… Ne me dis plus JAMAIS ça… Plus jamais… »

Intonation

Liaisons et enchaînements

3

1 Classez les mots dans le tableau, puis vérifiez en écoutant.

avenue, bar, cigarette, école, euro, heure, pizzeria, restaurant, rue, taxi, alcool, autobus.

	un + consonne	*une* + consonne	*un* + voyelle	*une* + voyelle
Exemples	un café [ɛ̃-ka-fe]	une banque [yn-bɑ̃k]	un aéroport [ɛ̃-na-e-ʀo-pɔʀ]	une université [y-ny-ni-vɛʀ-si-te]
	un	une	un	une ....
	un	une	un	une ....
	un	une	un	une ....

• La consonne « n » du mot *un* est prononcée seulement devant une voyelle. Elle passe alors dans la syllabe suivante. C'est une **liaison**.
Exemple : *un aéroport* → [ɛ̃-na-e-ʀo-pɔʀ].

• La consonne « n » du mot *une* est toujours prononcée, mais devant une voyelle, elle passe dans la syllabe suivante. C'est un **enchaînement**.
Exemple : *une université* → [y-ny-ni-vɛʀ-si-te].

↳ Le signe ‿ marque la liaison et l'enchaînement.

2 Écrivez et notez le signe de liaison/enchaînement (‿).

1. Singulier

Exemples	[ɛ̃-na-mi] →	un ami
	[y-na-mi] →	une amie
	[sɛ-ta-mi] →	cet ami, cette amie
	[mɔ̃-na-mi] →	mon ami(e)
	[tɔ̃-na-mi] →	....
	[sɔ̃-na-mi] →	....
	[vɔ-tʀa-mi] →	....
	[nɔ-tʀa-mi] →	....
	[lœ-ʀa-mi] →	....

2. Pluriel

[de-za-mi] →	des amie(e)s
[dø-za-mi] →	deux ami(e)s
[se-za-mi] →	ces ami(e)s, ses ami(es)
[me-za-mi] →	mes ami(e)s
[te-za-mi] →	....
[se-za-mi] →	....
[vo-za-mi] →	....
[no-za-mi] →	....
[lœʀ-za-mi] →	....

⟫⟫⟫ Voir Introduction-2, exercice 2 (page 11). ⟪⟪⟪

3 Écrivez les formes des verbes *arriver* et *écouter*. Notez le signe de liaison/enchaînement (‿), puis écoutez pour vérifier.

	1. Arriver			**2. Écouter**	
Exemples	[ɔ̃-na-ʀiv]	→ on‿arrive	[ɔ̃-ne-kut]	→ on‿écoute
	[i-la-ʀiv]	→ il‿arrive	[i-le-kut]	→ il‿écoute
	[ɛ-la-ʀiv]	→	[ɛ-le-kut]	→ ....
	[nu-za-ʀi-vɔ̃]	→	[nu-ze-ku-tɔ̃]	→ ....
	[vu-za-ʀi-ve]	→	[vu-ze-ku-te]	→ ....
	[il-za-ʀiv]	→	[il-ze-kut]	→ ....
	[ɛl-za-ʀiv]	→	[ɛl-ze-kut]	→ ....

↪ • *On, nous, vous, ils, elles* + verbe : liaison obligatoire si le verbe commence par une voyelle.
• *Il, elle* + verbe : enchaînement systématique si le verbe commence par une voyelle.

4 Quelle consonne de liaison entendez-vous ? Cochez, puis écrivez le déterminant devant le nom.

		[n]	[z]			[n]	[z]
Exemples	un‿étranger	✔			six‿heures		✔
1.	.... anniversaire	...	...	5.	.... idées	...	...
2.	.... avions	...	...	6.	.... enfants	...	...
3.	.... université	...	...	7.	.... hôtel	...	...
4.	.... euros	...	...	8.	.... hommes	...	...

↪ La liaison est obligatoire entre le déterminant et le nom qui le suit.

5 Quelle consonne de liaison entendez-vous devant le nom ? Cochez.

		[n]	[z]	[t]	[ʀ]			[n]	[z]	[t]	[ʀ]
Exemples	ami (un grand ami)			✔			étudiant (un ancien étudiant)	✔			
1.	amour	...	...	...	...	5.	exercices	...	...	...	...
2.	avion	...	...	...	...	6.	étage	...	...	...	...
3.	amis	...	...	...	...	7.	incident	...	...	...	...
4.	avocat	...	...	...	...	8.	élève	...	...	...	...

↪ • La liaison est obligatoire entre l'adjectif et le nom qui le suit.
• Les consonnes de liaison les plus fréquentes sont : [n], [z], [t].

Liaisons et enchaînements

ARTICULATION

6 **Répétez (↓). Marquez bien les syllabes.**

Exemples :

on écoute	il écoute	ils écoutent	vous écoutez
[ɔ̃-ne-kut]	[i-le-kut]	[il-ze-kut]	[vu-ze-ku-te]

1. on explique	2. il explique	3. ils expliquent	4. vous expliquez
on écrit	elle écrit	elles écrivent	nous écrivons
on avance	il avance	ils avancent	vous avancez
on attend	elle attend	elles attendent	nous attendons

Variation : répétez (→).

↳ • **La liaison est obligatoire entre les pronoms sujets** *on, nous, vous, ils, elles* **et le verbe qui le suit.**
• **L'enchaînement est systématique entre les pronoms sujets** *il, elle* **et le verbe qui suit.**

7 **Répétez en faisant la liaison en** [t].

Exemples :

Que fait-il ? Que font-ils ?	→ [kə-fɛ-til]	[kə-fɔ̃-til]
Que prend-il ? Que prennent-ils ?	→ [kə-pʁɑ̃-til]	[kə-pʁɛn-til]

1. Où est-il ? Où sont-ils ?	→ [u-ɛ-til]	[u-sɔ̃-til]
2. Que dit-il ? Que disent-ils ?	→ [kə-di-til]	[kə-diz-til]
3. Que sait-il ? Que savent-ils ?	→ [kə-sɛ-til]	[kə-sav-til]
4. Où attend-il ? Où attendent-ils ?	→ [u-a-tɑ̃-til]	[u-a-tɑ̃d-til]
5. Comprend-il ? Comprennent-ils ?	→ [kɔ̃-pʁɑ̃-til]	[kɔ̃-pʁɛn-til]
6. Se souvient-il ? Se souviennent-ils ?	→ [sə-su-vjɛ̃-til]	[sə-su-vjɛn-til]

Variation : même exercice avec *elle, elles* ou *on*.

↳ **Formation par analogie : ajout d'un « -t- » lorsque le verbe n'en comporte pas.**
– *Il va* → *Où va-t-il ? ; elle mange* → *Mange-t-elle ?*

8 **Pendant une première écoute (↓), notez les liaisons et les enchaînements. Ensuite, répétez les phrases.**

Exemples :
Je vous‿invite.   Il‿attend ses amis et # il les‿accueille.*

Je vous attends.	Il essaie des chaussures et il les achète.
Je vous observe.	Ils inventent des histoires et ils les écrivent.
Je vous aime.	Il emploie des étrangers et il les exploite.
Je vous écoute.	Ils achètent des cartes postales et ils les envoient.

↳ **La liaison est obligatoire entre les pronoms compléments** *les, nous, vous* **et le verbe qui suit.**

* La liaison est interdite (#) entre *et* et le mot qui suit : *un café et # un thé.*

Liaisons et enchaînements

Liaisons et enchaînements

9 Après une première écoute, répétez en même temps que le locuteur.

• Une classe de 19 étudiants étrangers : un Irakien, un Espagnol, deux Anglais, trois Allemands, cinq Iraniens, sept Italiens.
• Un groupe de 16 personnes : six adultes, quatre adolescents et plusieurs enfants : deux enfants de trois ans, un enfant de deux ans et trois enfants de cinq à sept ans.

↪ **La liaison est obligatoire entre *un, deux, trois* et le nom qui suit.**

10 Répétez (↓). Respectez les enchaînements et les liaisons.

Enchaînement	Liaison en [t]	Liaison en [z]
une grande amitié	un grand avocat	les grands hôtels
une grande église	un grand amour	les grands espaces
une grande entreprise	un grand acteur	les grands océans
une grande exposition	un grand immeuble	les grandes avenues
une grande actrice	un grand hôtel	les grandes universités

11 Répétez (↓). Faites les liaisons et les enchaînements.

1. Liaisons

mon petit ami [pə-ti-ta-mi]
mon grand ami [gʀɑ̃-ta-mi]
mon premier ami [pʀə-mje-ʀa-mi]
mon dernier ami [dɛʀ-nje-ʀa-mi]
mon bon ami [bɔ-na-mi]
mon ancien ami [ɑ̃-sjɛ-na-mi]

2. Enchaînements

mon cher ami [ʃɛ-ʀa-mi]
mon meilleur ami [mɛ-jœ-ʀa-mi]
mon nouvel ami* [nu-vɛ-la-mi]
mon bel ami* [bɛ-la-mi]
mon vieil ami* [vjɛ-ja-mi]
mon ancienne amie [ɑ̃-sjɛ-na-mi]

* *nouveau, beau* et *vieux* + voyelle ➜ *nouvel, bel, vieil.*

12 Notez les enchaînements. Prononcez les phrases et vérifiez votre réponse.

Exemple : pour ➜ Pour eux ou pour elles ?

• Pour Amélie et pour Alice.
• Pour ouvrir et pour fermer.
• Par ici ou par là ?

• Par une petite route ou par l'autoroute ?
• Sur une plage ou sur une île ?
• Sur Internet ou dans la presse ?

13 Répétez (↓).

1. Sous

sous un arbre
sous un parapluie
sous une bonne étoile

3. Sans

sans papiers et sans argent
sans famille et sans enfants
sans eux et sans nous

2. Chez

Chez un oncle ou chez ton père ?
Chez un inconnu ou chez un ami ?
Chez elle ou chez lui ?

4. Dans

Dans une école ou dans un lycée ?
Dans une clinique ou dans un hôpital ?
Dans un an ou dans deux ans ?

↪ **La liaison en [-z] est obligatoire entre les prépositions *sous, chez, sans, dans* et le groupe nominal qui suit.**

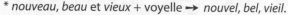

14 **Répétez et notez les liaisons et les enchaînements.**

Exemples : en_été et en_hiver   Partir_en_oubliant sa clé.

• en avril au printemps
• en octobre en automne
• en hélicoptère ou en avion

• Lire en attendant le bus.
• Sourire en ouvrant sa porte.
• Sourire en offrant un cadeau.

↪ **La liaison est obligatoire entre *en* et la voyelle qui suit.**

>>> Voir partie III-1, [m], [n], [ɲ], exercice 11 (page 133). <<<

15 **Répétez, puis écrivez la dernière phrase de chaque série sous la transcription.**

1. Verbes au singulier

[a-vɛ-kiv]   [a-vɛ-kɛl]   [a-vɛ-kø]
[pa-ʁa-vɛ-kiv]   [mɑ̃-ʒa-vɛ-kɛl]   [sɔ-ʁa-vɛ-kø]
[il-pa-ʁa-vɛ-kiv]   [ʒə-mɑ̃-ʒa-vɛ-kɛl]   [ty-sɔ-ʁa-vɛ-kø]

Exemple :
Il part avec Yves.   ....

2. Verbes au pluriel

[a-vɛ-kɛv]   [a-vɛ-kɛl]   [a-vɛ-kø]
[par-ta-vɛ-kɛv]   [mɑ̃ʒ-ta-v -kɛl]   [sɔʁ-ta-vɛ-kø]
[ɛl-paʁ-ta-vɛ-kɛv]   [il-mɑ̃ʒ-ta-vɛ-kɛl]   [ɛl-sɔʁ-ta-vɛ-kø]

Exemple :
Elles partent avec Ève.   ....

16 **Répétez. Ne faites pas de liaison.**

1. Quand # arrivent-ils ?
Quand # est-il arrivé ?
Quand # arrivera-t-il ?

3. Comment # arrêter de fumer ?
Comment # allumer un feu ?
Comment # imprimer des photos ?

2. Jusqu'à quand # il travaille ?
Jusqu'à quand # on reste ?
Depuis quand # il est là ?

4. Combien # êtes-vous ?
Combien # avez-vous de frères et sœurs ?
Combien # avez-vous payé ?

↪ **La liaison est interdite après les mots interrogatifs *quand ?*, *comment ?*,
combien ?, sauf pour :**
– *Quand_est-ce que… ?* → [kɑ̃-tɛs-kə].
– *Comment_allez-vous ?* → [kɔ-mɑ̃-ta-le-vu].

RYTHME ET INTONATION

17 **Répétez une première fois lentement, puis plus rapidement.**

Voici Nicolas.
C'est_un_ami. C'est_un grand_ami. C'est mon plus vieil_ami. C'est mon meilleur_ami.

VARIATIONS : 1. *Voici Noémie. C'est une amie…*
                  2. *Voici Nicolas et Noémie. Ce sont des amis…*

Liaisons et enchaînements

18 Répétez et notez les liaisons après *en*. Respectez le schéma mélodique.

→ ⤴ → → → → →

Exemple : Tu en_as ou non, de l'argent ?

1. Il en écoute ou non, du jazz ?

2. Tu en achètes ou non, des CD ?

3. Tu en écris ou non, de la poésie ?

4. Vous en employez ou non, des étrangers ?

5. Votre pays en importe ou non, des produits français ?

19 Pendant une première écoute, notez les liaisons et les enchaînements. Puis reprenez le texte en même temps que le locuteur.

Félix est un homme / d'un certain âge, / grand amateur de voyages. // Quand il le peut, /

il part : // en bateau, / en autocar, / en avion… // à pied aussi, / parfois. // Il est allé /

partout : // en Europe, / en Afrique, / en Asie, / en Amérique latine, / aux États-Unis. //

Il voyage seul, / sans amis, / presque sans argent. //

Il a le temps. // Il n'a aucune obligation. // C'est un homme indépendant. //

INTERPRÉTATION

20 Pendant une première écoute, notez les liaisons et les enchaînements. Ensuite, lisez ce texte à voix haute, seul(e) ou à deux, puis vérifiez votre prononciation.

« Je peux vous demander votre nom ?
— Je m'appelle Anne.
— Anne comment ?
— Anne Avril.
— Anne Avril… C'est joli. C'est un joli nom.
Vous avez quel âge ? Vingt ans ?
— Dix-neuf ans.
— Dix-neuf ans. C'est un bel âge !…
Vous êtes étudiante ?
— Je fais des études, oui…
Je suis étudiante.
— En… ?
— En histoire.
— Oh, là, là !…Vous aimez ?
C'est intéressant ?
— Très intéressant.
— Et… Vous allez en Espagne ?
— Oui. Je suis en vacances.
— Vous allez chez des amis ? chez…
un ami ?
— Non, chez un oncle.
— Qui est espagnol ?
— Non, mais qui habite en Espagne.
— Ah !
(Un court silence.)
— Je vous invite.
— Pardon ?
— À boire un café à la voiture dix.
— Allons-y ! »

M. L. Chalaron

VARIATION : remplacez *Anne Avril* par *Patrice Auclair*.

Partie II

Les voyelles

La voyelle ouverte [a]
et le son [wa]

[a]

[a]
[wa]

[a]

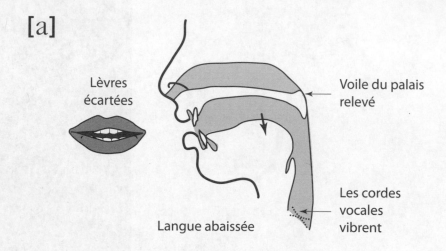

Lèvres écartées

Voile du palais relevé

Les cordes vocales vibrent

Langue abaissée

[w]

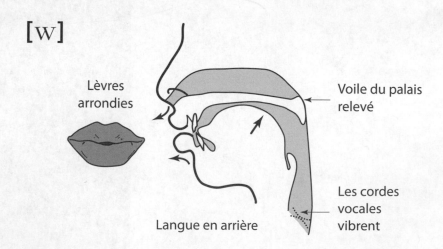

Lèvres arrondies

Voile du palais relevé

Les cordes vocales vibrent

Langue en arrière

SENSIBILISATION

RUE
du
LAVOIR

DISCRIMINATION

1 **Soulignez les mots où vous entendez** [a]**.**

Exemples : à – au – an.
beau – bas – banc.

- quand – car – quai
- ma – main – mai

- chaise – champ – chat
- faux – femme – franc

- ça – saint – sait
- lent – la – les

↪ *Attention !* **Il y a une exception :** *femme* **se prononce** [fam]**.**

2 **Soulignez les mots où vous entendez** [wa]**.**

Exemples : toi – ta – tant ;
bas – banc – bois.

- laid – la loi – l'oie
- sait – sa – soi

- rang – roi – raie
- mais – moi – ma

- je – j'ai – joie
- quoi – quai – quand

[a]

[wa]

ARTICULATION

3 **Répétez en prononçant toujours** [a] **de la même façon.**

une villa	un avocat	une plage	un car	un journal
un visa	un agenda	une place	une gare	un tribunal
un opéra	un ananas	une classe	un départ	une balle
un cinéma	un hôpital	une image	un art	une salle

>>> Voir partie I, *Liaisons et enchaînements* (page 23). <<<

4 **Répétez en prononçant toujours** [a] **de la même façon.**

un journal national	un certificat médical	une phrase discutable
un hôpital régional	une pizza mangeable	une panne désagréable
une carte postale	un téléphone portable	une avocate agréable

↪ *Attention !* **Quand le mot commence par une voyelle :**
– prononcez [ɛ̃na…] **au masculin et** [yna…] **au féminin.**

5 Formez l'adjectif, puis vérifiez votre prononciation.

Exemple : porter → portable.

habiter	→	régler	→ ....
discuter	→	déplacer	→ ....
accepter	→	télécharger	→ ....
jeter	→	manger	→ ....
calculer	→	ouvrir	→ ....

6 Notez le nombre de syllabes, puis répétez.

Exemples : *les chattes et les rats* [le-ʃa-te-le-ʀa]   → *5 syllabes.*
les sacs et les valises [le-sa-ke-le-va-liz]   → *6 syllabes.*

1. les balles et les ballons [le-ba-le-le-ba-lɔ̃]   → ....

2. les voyages et les bagages [le-vwa-ja-ʒe-le-ba-gaʒ]   → ....

3. les malades et l'hôpital [le-ma-la-de-lo-pi-tal]   → ....

4. la montagne et la campagne [la-mɔ̃-ta-ɲe-la-kɑ̃-paɲ]   → ....

5. les arrivées et les départs [le-za-ʀi-ve-e-le-de-paʀ]   → ....

[a]

[wa]

7 Répétez les verbes. D'abord à l'infinitif, puis conjugués. Attention aux lettres non prononcées à la fin des mots.

Exemple : voir → *je vois, tu vois, il voit, ils voient*   *nous voyons, vous voyez*
                [vwa] [vwa] [vwa] [vwa]   [vwajɔ̃]   [vwaje]

Infinitif

croire → je crois, tu crois, il croit, ils croient   nous croyons, vous croyez

envoyer → j'envoie, tu envoies, il envoie, ils envoient   nous envoyons, vous envoyez

devoir → je dois, tu dois, il doit, ils doivent   nous devons, vous devez

recevoir → je reçois, tu reçois, il reçoit, ils reçoivent   nous recevons, vous recevez

boire → je bois, tu bois, il boit, ils boivent   nous buvons, vous buvez

Variation : remplacez *il* par *elle* ou par *on.*

8 Répétez les phrases en insistant sur les mots en majuscules.

Exemple : Ce n'est pas SA valise, c'est MA valise.

1. Ce n'est pas TA place, c'est MA place.
2. Ce n'est pas SA femme, c'est MA femme.
3. Ce n'est pas MA loi, c'est LA loi.
4. C'est MA voiture, ce n'est pas SA voiture.

RYTHME ET INTONATION

9 Répétez les dialogues en respectant les groupes rythmiques et l'intonation.
Ne prononcez pas les « e » barrés.

2 syllabes	3 syllabes	4 syllabes
« Tu pars ? — Je pars. »	« Ça ne va pas ? — Ça ne va pas. »	« Comment ça va ? — Ça va très bien. »
« C'est toi ? — C'est moi. »	« C'est par là ? — C'est par là. »	« Tu as très mal ? — Non, pas très mal. »
« Déjà ? — Déjà ! »	« Ça ne va pas ? — Si, ça va. »	« Tu pars sans moi ? — Non, avec toi. »
« Au revoir ! — Au revoir ! »	« À ce soir ? — Je ne sais pas. »	« Il fait très froid ? — Peut-être moins trois. »
« Bonsoir ! — Bonsoir ! »	« Toi et moi ? — Toi et moi. »	« Quelle est ta classe ? — La salle là-bas. »

10 Répétez les phrases exclamatives avec l'intonation proposée.

1. – Formidable !
  – C'est formidable !
  – C'est vraiment formidable !

2. – Merci !
  – C'est très aimable !
  – C'est vraiment très aimable !

3. – Bravo !
  – C'est remarquable !
  – C'est vraiment remarquable !

4. – Super !
  – Super agréable !
  – C'est super agréable !

[a]

[wa]

11 Répétez les phrases interrogatives et respectez le rythme. Barrez les « e » non prononcés.

1. – Pourquoi ?
  – Pourquoi moi ?
  – Pourquoi pas toi ?
  – Pourquoi moi et pas toi ?

2. – Pourquoi ?
  – Pourquoi le soir ?
  – Pourquoi le noir ?
  – Pourquoi le noir le soir ?

3. – Pourquoi ?
  – Pourquoi je ne dois pas ?
  – Pourquoi je ne peux pas ?
  – Pourquoi tu ne veux pas ?
  – Pourquoi je n'ai pas le droit ?

4. – Pourquoi ?
  – Pourquoi une fois ?
  – Pourquoi seulement une fois ?
  – Pourquoi pas deux fois ?

>>> Voir partie II-4, *Le* [ə] *instable* (pages 70-71). <<<

12 Après une première écoute de ce dialogue en français familier, répétez les réponses en même temps que B.

A — Est-ce que t'aimes les voyages ? les départs ?
B — Les voyages, j'adore ça, mais les départs, j'aime pas ça !

A — Qu'est-ce que t'aimes ? les glaces ? le chocolat ? les pâtes ? les pizzas ?

B — Les pâtes et les pizzas, j'aime beaucoup ça, les glaces, ça va, mais le chocolat, j'aime pas !

A — Et l'coca ? T'aimes ça ?

B — Le coca, j'aime pas.

A — Et la vodka ?

B — La vodka ? J'connais pas.

A — J'te crois pas.

>>> Voir *Les marques du français familier* (page 179). <<<

PHONIE-GRAPHIE

[a]
[wa]

• [a] s'écrit « a ».
• [wa] s'écrit « oi ».

Attention !
• Le mot [fam] s'écrit *femme*.
• Les adverbes en -[amɑ̃] s'écrivent « -emment » : *fréquemment, récemment…*

>>> Voir partie II-5, [a] – [ɑ̃], exercice 5 (page 85). <<<

• La lettre « a » peut porter :
– un accent circonflexe : *un théâtre, des pâtes* ;
– un accent grave : *à la gare, ici ou là, voilà*.
• « oi » peut porter un accent circonflexe sur le « i » : *une boîte*.

13 Sélectionnez, dans le chapitre, des mots avec le son [a] et le son [wa]. Notez-les.

[a]	[wa]
« a », « à », « â »	« oi », « oî »
....	....
....	....

14 Écrivez les mots suivants. Aidez-vous de votre dictionnaire.

Exemples : [kafe] → *café.*
[bʀasʀi] → *brasserie.*

1. [taksi] → ....
2. [aeʀopɔʀ] → ....
3. [aʀive] → ....
4. [depaʀ] → ....
5. [gaʀ] → ....
6. [gaʀaʒ] → ....

7. [teatʀ] → ....
8. [fam] → ....
9. [ʀezɛʀvasjɔ̃] → ....
10. [puʀkwa] → ....
11. [lwa] → ....
12. [ʃinwa] → ....

Dictée

15 Écoutez et écrivez.

1. ....

2. ....

3. ....

4. ....

5. ....

6. ....

INTERPRÉTATION

16 Lisez ces textes à voix haute, seul(e) ou à deux, puis écoutez-les.

1. « Ça va, Clara ?
— Oui, oui ça va, ça va.
— Ça ira, tu crois ?
— Ça ira.
— Tu crois ?
— Ça ira. Ça ira.
— À ce soir.
— À ce soir. »

M. L. Chalaron

2. « Papa !
— Oui, Maria.
— Ça ne va pas ?
— Ça va, Maria, ça va.
— Non, Papa, ça ne va pas.
— C'est vrai, ça ne va pas.
— Pourquoi ?
— Je ne sais pas. »

M. L. Chalaron

[a]

[wa]

3. « Le roi boit ?
— Le roi boit.
— Il boit quoi ?
— Je ne vois pas.
— Du thé froid ?
— Je ne crois pas.
— Qu'est-ce qu'il boit ?
— Je ne sais pas. »
« Je ne bois pas, dit le roi.
Laissez-moi ! »

M. L. Chalaron

VARIATION POUR LE TEXTE 1 : remplacer le « Ça va… » de la première réplique par
« Ça ne va pas… » et le « Oui… » par un « Si… ».

VARIATIONS POUR LE TEXTE 2 : remplacer *Papa* ou *Maria* par :
– d'autres prénoms avec [a] (*Clara, Raïssa, Anna, Andréas, Thomas, Nicolas…*) ;
– *Maman* ou *Madame* ;
– des mots doux avec [a] (*mon chaton, ma chérie, ma caille*).

Les voyelles fermées
[i] – [y] – [u]

DESCRIPTION

[i]

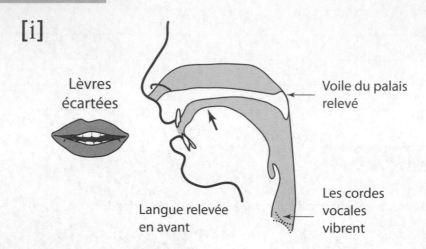

Lèvres
écartées

Voile du palais
relevé

Langue relevée
en avant

Les cordes
vocales
vibrent

[y]

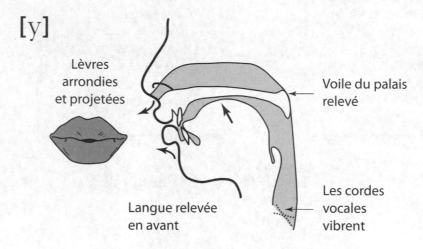

Lèvres
arrondies
et projetées

Voile du palais
relevé

Langue relevée
en avant

Les cordes
vocales
vibrent

[u]

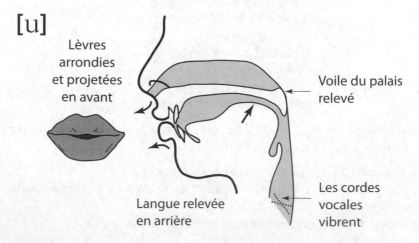

Lèvres
arrondies
et projetées
en avant

Voile du palais
relevé

Langue relevée
en arrière

Les cordes
vocales
vibrent

SENSIBILISATION

DISCRIMINATION

1 **Quel nom entendez-vous ? Cochez.**

Exemple	Lucie Dufour	✔	Lucie Dufoux	
1.	Émile Mabule	...	Émilie Maboule	...
2.	Gilles Duras	...	Jules Douglas	...
3.	Sylvie Tourques	...	Sylvain Turc	...
4.	Murielle Luvot	...	Mireille Louveau	...
5.	Mouloud Scouti	...	Mulan Scuri	...

[i]

[y]

[u]

2 **Dans quel ordre entendez-vous ces suites de sons ?**

	1 [i]	2 [y]	3 [u]	
Exemple	nini	nunu	nounou	2 – 1 – 3
1.	lili	lulu	loulou	....
2.	kiki	kuku	koukou	....
3.	titi	tutu	toutou	....
4.	bibi	bubu	boubou	....
5.	zizi	zuzu	zouzou	....
6.	mimi	mumu	moumou	....

3 Cochez la phrase entendue.

Exemple	J'ai cru.	✔	J'écris.	...
1.	Il habite au dessus.	...	Il habite au dessous.	...
2.	Natacha est russe.	...	Natacha est rousse.	...
3.	Dites-moi tu.	...	Dites-moi tout.	...
4.	Il a vu.	...	Il avoue.	...
5.	J'ai acheté deux pulls.	...	J'ai acheté deux poules.	...
6.	Tu es sûr ?	...	Tu es sourd ?	...

4 Entendez-vous [ty] (français standard) ou [t] (français familier) ? Cochez.

[i]
[y]
[u]

Exemple	Tu aimes ?	✔	T'aimes ?	
1.	Tu es contente ?	...	T'es content ?	...
2.	Tu as cinq euros ?	...	T'as cinq euros ?	...
3.	Tu attends qui ?	...	T'attends qui ?	...
4.	Tu as mal où ?	...	T'as mal où ?	...
5.	Tu entends bien ?	...	T'entends bien ?	...
6.	Tu appelles quand ?	...	T'appelles quand ?	...

5 Répétez d'abord la prononciation standard [ilija], puis la prononciation familière [ja].

Dans une ville, à midi pile...

il y a de la circulation,	y a d'la circulation,
il y a des voitures,	y a des voitures,
il y a des bus,	y a des bus,
il y a du bruit,	y a du bruit,
il y a de la fumée,	y a d'la fumée,
il y a des cris,	y a des cris,
il y a de la musique.	y a d'la musique.
Il y a de la vie !	Y a d'la vie !

↪ **En français, on entend souvent [ja] et non [ilija].**

⟫⟫ Voir *Les marques du français familier* (page 179). ⟪⟪

ARTICULATION

6 **Entraînement : [y], [u].**

1. Répétez les suites de sons avec une intonation montante (↗).
[asy, aty, ady, aly, any, aʒy, aky, apy, aby, amy]

2. Répétez les suites de sons avec une intonation descendante (↘).
[asu, atu, adu, alu, anu, aʒu, aku, apu, abu, amu]

7 **Entraînement : [i], [y].**

1. Répétez les suites de sons avec une intonation montante (↗).
[asi, ati, adi, ali, ani, aji, aki, api, abi, ami]

2. Répétez les suites de sons avec une intonation descendante (↘).
[asy, aty, ady, aly, any, aʒy, aky, apy, aby, amy]

8 **Répétez chaque mot. Maintenez bien les lèvres écartées pour le [i], les lèvres arrondies et avancées pour le [y] et le [u].**

[i]

[y]

[u]

• Syllabe ouverte

[i]	[y]	[u]
dis	du	doux
si	su	sous
lit	lu	loup
nid	nu	nous
qui	Q	cou
vie	vu	vous

• Syllabe fermée

[i]	[y]	[u]
cire	sûr	sourd
pisse	puce	pouce
bile	bulle	boule
gîte	jute	joute
mille	mule	moule
Kir	cure	cour

9 **Conjuguez ces verbes au présent avec *tu* et *vous*, puis vérifiez votre prononciation.**
Exemple : Jouer ➜ tu joues, vous jouez.

1. Écouter

....

2. Rouler

....

3. Goûter

....

4. Couper

....

5. Tousser

....

6. Douter

....

10 Prononcez ces mots (↓), puis vérifiez votre prononciation.

Dans les rues de la ville

[i] et [j]	[y] et [ɥ]	[u] et [w]
des lycées	des rues	la foule
des mairies	des bus	des touristes
des parkings	des musées	des boulevards
des vitrines	des voitures	des carrefours
des cinémas	des avenues	des boulangeries
un cimetière	des monuments	des boucheries
des bicyclettes	des bureaux de poste	des voitures
des pâtisseries	des supermarchés	des tramways
des stations-service	des marchands de fruits et de légumes	des trottoirs
visiter	circuler	découvrir
l'après-midi	la nuit	le soir
sous le soleil	sous la pluie	tout est noir
sous un ciel gris	pas de bruit	le brouillard
	les lumières	

[i]
[y]
[u]

11 Notez les liaisons et les enchaînements. Prononcez, puis vérifiez votre prononciation.

Exemples : un fils et une fille   un ami et une amie

1. un pull et une jupe

2. un bus et une voiture

3. un numéro dans une avenue

4. un étudiant et une étudiante

5. Une page dans un livre

6. Une image sur un mur

7. un acteur et une actrice

8. un cadeau et une surprise

12 Répétez les phrases.

- Tu comprends tout.
- Tu sais tout.
- Tu manges tout.
- Tu bois tout.

- Tu veux tout.
- Tu peux tout.
- Tu écris tout.
- Tu lis tout.

- Tu vois tout.
- Tu crois tout.
- Tu prends tout.
- Tu fais tout.

13 Répétez. Attention à l'enchaînement des voyelles.

Exemple : Il a eu une angine. → [i-la-y-y-nã-ʒin]

- J'ai eu une idée.
- J'ai eu Annie au téléphone.
- Elle a eu un rhume.

- Elle a vu un ours.
- Il a reçu une facture.
- Il a eu un rendez-vous de dernière minute.

14 Complétez les formes du verbe *étudier*, puis prononcez-les. Vérifiez votre prononciation.

Exemple : J'.............. → J'étudie.

Tu ....   Nous ....

Il ....   Vous ....

Elle ....   Ils ....

On ....   Elles ....

15 Après une première écoute, répétez les dialogues.

« C'est plus sûr ?   « C'est plus lourd ?   « C'est plus facile ?
— C'est plus sûr. »   — C'est plus lourd. »   — C'est plus facile. »

« C'est plus dur ?   « C'est plus doux ?   « C'est plus utile ?
— C'est plus dur. »   — C'est plus doux. »   — C'est plus utile. »

« Il ne fume plus ?   « Il ne lit plus ?   « Il ne tousse plus ?
— Non, il ne fume plus. »   — Non, il ne lit plus. »   — Non, il ne tousse plus. »

« Tu ne ris plus ?   « Tu ne joues plus ?   « Tu ne boudes plus ?
— Non, je ne ris plus. »   — Non, je ne joue plus. »   — Non, je ne boude plus. »

[i]

[y]

[u]

RYTHME ET INTONATION

16 Répétez. Respectez le rythme et le schéma intonatif.

↘ ↘ ↘ ↗

Exemple : Tu n'as pas pu ?

– Tu n'as pas su ?   – Tu n'as pas vu ?   – Tu n'as pas reçu ?
– Tu n'as pas bu ?   – Tu n'as pas lu ?   – Tu n'as pas cru ?

VARIATION : reprenez ces phrases en français familier.

↘ ↘ ↗

Exemple : T'as pas pu ?

17 Répétez.

• Est-ce que tu aimes les légumes ?   • Est-ce que tu circules en bus ?
• Est-ce que tu as une bonne vue ?   • Est-ce que tu trouves la vie dure ?
• Est-ce que tu as une voiture ?   • Est-ce que tu fais des études ?
• Est-ce que tu écoutes RFI ?   • Est-ce que tu t'amuses ici ?
• Est-ce que tu es ponctuel ?   • Est-ce que tu mets ta ceinture en voiture ?

VARIATION : reprenez les phrases de la première colonne en français familier.
Exemple : Est-ce que t'aimes les légumes ?

18 Répétez en même temps que le locuteur.

[i]	[y]	[u]
« C'est ici ? — C'est ici. »	« C'est sûr ? — Oui, c'est sûr. »	« C'est lourd ? — Oui, c'est lourd. »
« Six ou dix ? — Six, ça suffit. »	« Une flûte ? — Non, deux flûtes. »	« C'est qui, Manou ? — Oui, Manou. »
« Il est midi ? — Midi pile. »	« Dessus ? — Oui, dessus. »	« C'est pour nous ? — C'est pour vous. »
« Merci, mille mercis ! — Je vous en prie ! »	« Salut ! — Salut ! »	« Bonjour ! — Bonjour ! »
« Vite, vite ! — Non, pas vite, vite. »	« C'est stupide ! — Non, ridicule. »	« Vous êtes fou ! — Pas du tout. »
« C'est très physique ! — Oui, très physique ! »	« Je suis déçu ! — Bien sûr… »	« J'ouvre tout ! — Non, surtout pas ! »

[i]

[y]

[u]

19 Répétez. Reprenez l'intonation proposée.

1. « Tu es fou !
   — Non, pas fou, pas fou du tout ! »

2. « C'est facile ?
   — Non pas facile ! Pas facile du tout ! »

3. « C'est utile ?
   — Non, pas utile ! Pas utile du tout ! »

4. « Il est ridicule !
   — Non, pas ridicule, pas ridicule du tout ! »

5. « Ça t'a plu ?
   — Non, ça ne m'a pas plu ! Ça ne m'a pas plu du tout ! »

6. « C'est urgent ?
   — Non, pas urgent ! Pas urgent du tout ! »

20 Répétez en même temps que le locuteur.

Si tu arrives / dans une nouvelle ville, / il faut vite aller / à la maison du tourisme / et demander des guides / où tu trouveras / les noms des rues, / des avenues, / des boulevards, / des monuments / et des musées à visiter. // Tu pourras ainsi / circuler plus facilement / et découvrir / les sites touristiques. //

VARIATION : remplacez *tu* par *vous*.

PHONIE-GRAPHIE

- [i] s'écrit « i » ou « y ».
- [y] s'écrit « u ».

Attention !
Le participe passé du verbe *avoir* s'écrit « eu », mais se prononce [y].
- [u] s'écrit « ou ».
- Les lettres « i » et « u » peuvent porter un accent circonflexe :
  – *une île, sûr, coûter, goûter, il a dû partir.*
- La lettre « u » peut porter un accent grave :
  – *où.*

↳ **Les mots avec « oo », qui viennent de l'anglais, se prononcent** [u] : *le foot, c'est cool, des cookies, un fast-food, le look…*

21 Sélectionnez, dans le chapitre, des mots avec les sons [i], [y], [u]. Notez-les.

[i]

[y]

[u]

[i]	[y]	[u]
« i », « î »	« u », « û »	« ou », « oû », « où »
....	....	....
....	....	....
....	....	....

22 Écrivez les mots suivants. Aidez-vous de votre dictionnaire.

Exemples : [bulvaʀ] ➜ *boulevard(s)*
            [ekute] ➜ *écouter, écoutez, écouté.*

1. [kuʀiʀ] ➜ ....

2. [siʀkylasjõ] ➜ ....

3. [myzik] ➜ ....

4. [etydje] ➜ ....

5. [tuʀist] ➜ ....

6. [okype] ➜ ....

7. [abityd] ➜ ....

8. [boku] ➜ ....

9. [syʀtu] ➜ ....

10. [bys] ➜ ....

11. [ply-dy-tu] ➜ ....

12. [syʀpʀiz] ➜ ....

Dictée

 23 Écoutez et écrivez.

1. ....

2. ....

3. ....

4. ....

5. ....

6. ....

INTERPRÉTATION

24 Lisez ce dialogue à voix haute, seul(e) ou à deux. Ensuite, écoutez-le.

[i]

[y]

[u]

« Les moustiques piquent ?
— Mais oui, les moustiques piquent.
— Tous ?
— Tous les moustiques piquent, oui.
— Tu es sûr ?
— Oui.
— Sûr, sûr ?
— Oui…
— Et les puces ?
— Quoi, les puces ?
— Est-ce que les puces piquent ?
— Mais oui, les puces piquent aussi.
— Toutes ?
— Toutes. Toutes les puces piquent et tous les moustiques piquent.
— Et… est-ce que les puces piquent les moustiques ?
— Oh zut… les puces…
— Et est-ce que les poux… ?
— Chut ! Chut, chut… »

M. L. Chalaron

DESCRIPTION

[e]

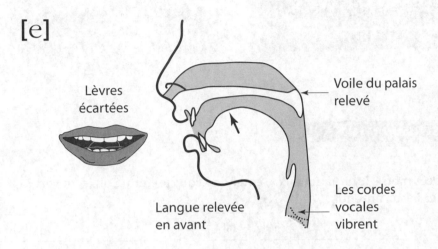

Lèvres
écartées

Voile du palais
relevé

Langue relevée
en avant

Les cordes
vocales
vibrent

[ɛ]

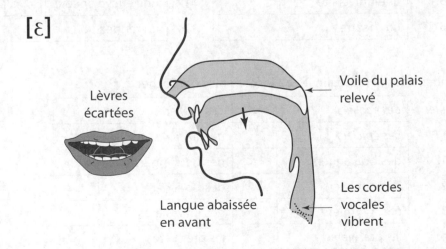

Lèvres
écartées

Voile du palais
relevé

Langue abaissée
en avant

Les cordes
vocales
vibrent

[e]

[ɛ]

SENSIBILISATION

DISCRIMINATION

1 Dans ces mots « internationaux », entendez-vous [e] fermé ou [ɛ] ouvert ?
Cochez le son entendu.

[e]

[ɛ]

		[e]	[ɛ]			[e]	[ɛ]
Exemples	un musée	✔			un collège		✔
1.	un café	…	…	7.	l'algèbre	…	…
2.	un hôtel	…	…	8.	un aéroport	…	…
3.	un chèque	…	…	9.	un président	…	…
4.	une princesse	…	…	10.	un opéra	…	…
5.	une université	…	…	11.	une encyclopédie	…	…
6.	un théâtre	…	…	12	un rendez-vous	…	…

2 Entendez-vous le masculin [e] ou le féminin [ɛʀ] ? Cochez.

Exemples	des écoliers	✔	des écolières	
	des épiciers		des épicières	✔
1.	des boulangers	…	des boulangères	…
2.	des bouchers	…	des bouchères	…
3.	des infirmiers	…	des infirmières	…
4.	les premiers	…	les premières	…
5.	les derniers	…	les dernières	…

ARTICULATION

3 Observez et répétez les formes verbales (→).

Infinitif	Impératif	Impératif	Passé composé
[ɛ] – [e]	[ɛ] – [e]	[ɛʀ + consonne]	[e] – [ɛ] – [e]
fermer	fermez	ferme	j'ai fermé
bercer	bercez	berce	j'ai bercé
percer	percez	perce	j'ai percé
chercher	cherchez	cherche	j'ai cherché
verser	versez	verse	j'ai versé

VARIATION : répétez les formes verbales (↓).

4 **Répétez. Prononcez toujours [ɛ].**

[ɛt] → une tête, une fête… une fourchette, une assiette…

[ɛk] → un bec, sec, avec…   [ɛs] → une adresse, la vitesse…

[ɛv] → un élève, une grève…   [ɛm] → j'aime… je sème…

[ɛn] → une semaine… pleine, la Seine… la scène…

[ɛʀ] → une mère, un père… une paire, une grammaire… cher, vert…

[ɛl] → mademoiselle, belle… un hôtel…

[ɛj] → le sommeil… une oreille, je surveille.

[e]

[ɛ]

5 **Répétez. Prononcez toujours [e].**

[e] → les… des… mes… tes… ses… ces…

[e] → un bébé, un café sucré… j'ai parlé, j'ai marché.

[e] → une matinée, une soirée, un musée, une idée…

[e] → un étranger, un boulanger, un cahier… premier, dernier… parler, fermer…

[e] → un nez, chez… – Parlez !, Écrivez !… et… les pieds.

6 **Observez ces séries de mots. Écoutez les variations, puis répétez.**

La norme	L'usage	Vocabulaire
[ɛ]	[e] ou [ɛ]	en mai, du lait, la paix, s'il vous plaît.
[ɛ]	[e] ou [ɛ]	un bouquet, un ticket, un billet, un jouet.
[ɛ]	[e] ou [ɛ]	un arrêt, une forêt, le progrès, le succès, très, le tramway.

La norme	L'usage	Formes verbales
[e]	[e] ou [ɛ]	*Présent :* j'ai, je vais.
[ɛ]	[e] ou [ɛ]	*Futur :* je partirai, j'irai…
[ɛ]	[ɛ] ou [e]	*Présent :* tu es, il est.
[ɛ]	[ɛ] ou [e]	*Imparfait :* je dormais, tu dormais, il/elle dormait, ils/elles dormaient.
[ɛ]	[ɛ] ou [e]	*Conditionnel :* je voudrais, tu voudrais, il/elle voudrait, ils/elles voudraient.

RYTHME ET INTONATION

7 Répétez en rythme, une première fois lentement, puis une seconde fois plus rapidement.

Des assiettes //
Des assiettes / et des verres //
Des assiettes / des verres / et des couverts //
Des assiettes / des verres / des couverts / et des serviettes //
Des assiettes / des verres / des couverts / des serviettes // et un bouquet ! //

8 Répétez en respectant le rythme et le schéma mélodique.

→ → → ↗ → → → → → ↗ → → → → → ↘

Exemple : Si vous prenez / vos congés en juillet, / il faut le confirmer.

1. Si vous devez vous absenter en mai, il faut le signaler.
2. Si vous voulez travailler à l'étranger, il faut le demander.
3. Si vous voulez proposer un projet, il faut nous l'envoyer.
4. Si n'avez pas l'adresse, allez sur Internet.
5. Si c'est ton anniversaire, on va faire la fête !
6. Si vous n'avez pas d'espèces, payez par carte bancaire.

[e]
[ɛ]

9 Après une première écoute, répondez en même temps que le locuteur.

« Tu voudrais parler à Zoé ?
— Non, je voudrais parler à Xavier. »

« Vous aimeriez rencontrer Monsieur Fournier ?
— Je préférerais rencontrer Mademoiselle André. »

« Tu aimerais épouser Isabelle ?
— Je préférerais épouser Marielle. »

« Vous voudriez aller en Grèce ?
— Oui, et surtout visiter Athènes. »

10 Passez d'un français standard à un français plus familier. Vérifiez vos réponses.

Exemple : Tu es étranger ? Tu n'es pas d'ici ? → *T'es étranger ? T'es pas d'ici ?*

– Tu es étudiant ? Tu étudies quoi ? → ....

– Tu aimes écrire ? Tu écris quoi ? → ....

– Tu es où ? Tu es dans le train ? → ....

– Tu n'es pas bien ? Tu n'es pas en forme ? → ....

– Tu es sourd ? Tu n'entends pas ? → ....

– Tu n'es pas décidé ? Tu hésites ? → ....

PHONIE-GRAPHIE

1. En syllabe fermée
– [ɛ] s'écrit : « -è », « -ê », « -ai » ou « -e » + consonne prononcée.

2. En syllabe ouverte
– Ce qui se prononce toujours [e] s'écrit : « -é », « -ée », « -er », « -ez ».
– Ce qui se prononce [e] ou [ɛ] s'écrit : « -ai », « -ay »…, « -et », « -êt », « -ès ».

11 Sélectionnez, dans le chapitre, des mots avec les sons [ɛ] et [e]. Notez-les.

Syllabe fermée	Syllabe ouverte	
[ɛ]	[e]	[ɛ] ou [e]
....	....	....
....	....	....
....	....	....

12 Écrivez les mots suivants. Aidez-vous de votre dictionnaire.

Exemples : [fɛʀme] ➜ *fermer, fermez, fermé.*
    [gʀamɛʀ] ➜ *grammaire.*

1. [ekɔlje] ➜ .... **7.** [fɛt] ➜ ....

2. [adʀɛs] ➜ .... **8.** [pje] ➜ ....

3. [sɔmɛj] ➜ .... **9.** [kaje] ➜ ....

4. [gʀɛv] ➜ .... **10.** [pɔlisje] ➜ ....

5. [tɛt] ➜ .... **11.** [vizite] ➜ ....

6. [ɛtɛʀnɛt] ➜ .... **12.** [sɛʀvjɛt] ➜ ....

[e]

[ɛ]

Dictée

13 Écoutez et écrivez.

1. ....

2. ....

3. ....

4. ....

5. ....

6. ....

INTERPRÉTATION

14 Lisez ces annonces à voix haute. Imaginez qu'elles sont radiodiffusées.
Ensuite, écoutez-les.

1. Infirmier cherche infirmière croisée hier dans l'escalier B du bâtiment C.

2. Boulangère cherche boulanger rencontré en mai au Congrès des boulangers de Vendée.

3. Banquier cherche banquière invitée le 14 juillet de l'année dernière à un banquet à l'Élysée.

4. Ambulancier cherche ambulancière croisée le mois dernier devant la caserne des pompiers.

5. Romancière cherche romancier étranger remarqué, mercredi dernier, à la soirée des Libraires, près du buffet.

6. Rentier cherche rentière rencontrée cet hiver au *Club Argenté* de la BNP.

7. Militaire de l'Armée de terre souhaiterait retrouver militaire de l'Armée de l'air croisé cette semaine à l'entrée du Bal des Armées.

[e]
[ɛ]

Les voyelles intermédiaires
[ø] – [œ]

DESCRIPTION

[ø]

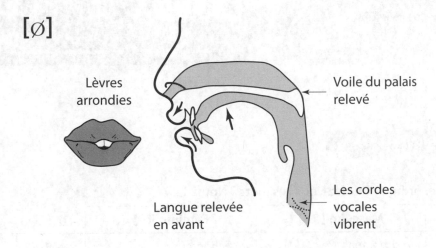

Lèvres arrondies

Voile du palais relevé

Langue relevée en avant

Les cordes vocales vibrent

[œ]

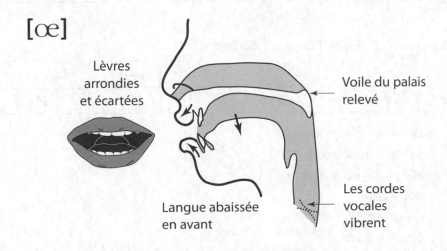

Lèvres arrondies et écartées

Voile du palais relevé

Langue abaissée en avant

Les cordes vocales vibrent

SENSIBILISATION

DISCRIMINATION

[ø]

[œ]

1 Dans quel ordre entendez-vous ces mots ? Notez-le.

	Masculin [œʀ]	Féminin [øz]	
Exemple	*un chanteur*	*une chanteuse*	*1 – 2*
1.	des nageurs	des nageuses	....
2.	des marcheurs	des marcheuses	....
3.	des coiffeurs	des coiffeuses	....
4.	des basketteurs	des basketteuses	....
5.	des voleurs	des voleuses	....

2 Entendez-vous [œ] – [ø] ou [ø] – [œ] ? Cochez.

		[œ] – [ø]	[ø] – [œ]
Exemple	*il pleut – il pleure*		✔
1.	des jeux – des jeunes	...	...
2.	il peut – ils peuvent	...	...
3.	elle veut – elles veulent	...	...
4.	peu – peur	...	...
5.	nœud – neuf	...	...
6.	bœufs – bœuf	...	...
7.	chanteur – chanteuse	...	...
8.	ceux – sœur	...	...

3 Réécoutez et relisez l'exercice 2. Vérifiez la règle générale ci-dessous.

↳ **Quand la syllabe est terminée par une voyelle (syllabe ouverte), on entend toujours [ø]. Exemple :** *peu* [pø]**.**
Quand la syllabe est terminée par une consonne (syllabe fermée), on entend [œ] (exemple : *peur* [pœʀ]**), sauf devant** [z]**. Exemple :** *heureuse* [øʀøz]**.**

ARTICULATION

4 **Répétez les verbes** *vouloir* **et** *pouvoir* **au présent.**

	1. Verbe *vouloir*		2. Verbe *pouvoir*
[vø]	je veux, tu veux, il veut, elle veut, on veut	[pø]	je peux, tu peux, il peut, elle peut, on peut
[vœl]	ils veulent, elles veulent	[pœv]	ils peuvent, elles peuvent
[vulɔ̃] [vule]	nous voulons, vous voulez	[puvɔ̃] [puve]	nous pouvons, vous pouvez

[ø]

[œ]

5 **Répétez les phrases (→).**

- J'aime ce bleu.
- J'ai acheté ce jeu.
- Il a allumé le feu.
- Elle a choisi ce lieu.
- Je connais ce chanteur.
- Ils peuvent réparer le moteur.
- Ils ont peur de ce professeur.

- J'aime ces deux bleus.
- J'ai acheté ces deux jeux.
- Il a allumé les deux feux.
- Elle a choisi ces deux lieux.
- Je connais ces deux chanteurs.
- Ils peuvent réparer ces vieux moteurs.
- Ils ont peur de ces deux professeurs.

>>> Voir partie II-4, *Le* [ə] *instable* (pages 73-74). <<<

6 **Formez le féminin et notez-le. Répétez en allongeant le [ø] devant** [z]**.**

Exemple : une vendeur curieux → *une vendeuse curieuse.*

un coiffeur chaleureux → ....

un chanteur ennuyeux → ....

un danseur joyeux → ....

un serveur sérieux → ....

des skieurs heureux → ....

des basketteurs victorieux → ....

7 **Formez le masculin et notez-le. Vérifiez votre prononciation.**

Exemple : diriger → *une directrice* → *un directeur.*

animer → une animatrice → ....

inspecter → une inspectrice → ....

éditer → une éditrice → ....

conduire → une conductrice → ....

traduire → une traductrice → ....

admirer → une admiratrice → ....

RYTHME ET INTONATION

[ø]

[œ]

8 **Notez les liaisons, comptez les syllabes, puis répétez ces phrases en respectant le rythme et l'intonation.**

Exemples :

• *Ce monsieur / vit près de Saint-Brieuc.* → 3 / 6.

• *Cette jeune chanteuse / est‿assez mystérieuse.* → 4 / 6.

• Ce monsieur / a de nombreux neveux. → ... / ...

• Ce vieux monsieur / est un très gros fumeur. → ... / ...

• Cet acteur / est un très bon skieur. → ... / ...

• Ce jeune acteur / a peur des spectateurs. → ... / ...

• Cette danseuse / habite dans ma banlieue. → ... / ...

• Cette jeune skieuse / a de très beaux yeux bleus. → ... / ...

>>> Voir partie II-4, *Le* [ə] *instable* (pages 69-74). <<<

9 **Répétez en respectant le schéma mélodique.**

→ → → ↗ → → → ↗

Exemple : Tu as une sœur ou plusieurs sœurs ?

• On fait un feu ou plusieurs feux ?

• Il a un neveu ou plusieurs neveux ?

• La réunion va durer une heure ou plusieurs heures ?

• Vous êtes fumeur ou non-fumeur ?

• Ils sont deux ou trois messieurs ?

• Vous voulez une ou plusieurs feuilles ?

10 Notez les liaisons. Répétez en respectant le rythme et le schéma mélodique.

→   →   →   ↗   →   →   ↗   →   →   ↗

Exemple : Vous êtes heureux ? malheureux ? amoureux ?

• Vous aimez le bleu ? le ciel bleu ? la mer bleue ? les yeux bleus ?

• Vous aimez les fleurs ? les couleurs ? les odeurs ? les saveurs ?

• Vous connaissez des chanteurs ? des acteurs ? des danseurs ?

• Vous êtes sérieuse ? joyeuse ? coléreuse ? paresseuse ?

11 Après une première écoute, répétez en même temps que le locuteur.

• Fleur dit que Mathieu est paresseux, mais Mathieu n'est pas paresseux du tout.
• Fleur dit que Mathieu est coléreux, mais Mathieu n'est pas coléreux du tout.
• Fleur dit que Mathieu est peureux, mais Mathieu n'est pas peureux du tout.

VARIATION : reprenez les mêmes phrases en inversant les prénoms.

12 Après une première écoute de ce dialogue, rejouez-le.

A — T'as l'heure ?
B — Non.
A — T'as pas l'heure ?
B — J'te dis qu' j'ai pas l'heure.
A — Menteur !
B — J'ai pas l'heure, j'te dis !
A — Allez… Dis-moi l'heure.

[ø]
[œ]

PHONIE-GRAPHIE

• [ø] et [œ] s'écrivent : « eu », « œu » ou « e ».

Attention !
– *un œil, l'accueil, le seuil ;*
– *monsieur :* [məsjø] ou [mœsjø] *;*
– *nous faisions :* [fəzjɔ̃] ou [føzjɔ̃] / *je faisais, tu faisais… :* [fəzɛ] ou [føze].

13 Sélectionnez, dans le chapitre, des mots avec les sons [ø] et [œ].

[ø]	[œ]
....	....
....	....
....	....
....	....

14 Écrivez les mots suivants. Aidez-vous de votre dictionnaire.

Exemples : [ø] ➜ eux, œufs.
[bœʀ] ➜ beurre.

1. [øʀø] ➜ ....
2. [flœʀ] ➜ ....
3. [pœʀ] ➜ ....
4. [bɑ̃ljø] ➜ ....
5. [kulœʀ] ➜ ....
6. [vjø] ➜ ....

7. [paʀɛsø] ➜ ....
8. [kœʀ] ➜ ....
9. [ɑ̃nɥijø] ➜ ....
10. [œj] ➜ ....
11. [məsjø] ➜ ....
12. [akœj] ➜ ....

Dictée

15 Écoutez et écrivez.

1. ....
2. ....
3. ....
4. ....
5. ....
6. ....

[ø]

[œ]

INTERPRÉTATION

16 Lisez ces textes à voix haute, puis écoutez-les.

1. Dans la mer bleue
des dauphins bleus
Sur la mer bleue
un bateau bleu
Dans le bateau bleu
deux amoureux
Au-dessus d'eux
des oiseaux bleus.
M. L. Chalaron

2. Fleurs sans odeur
Fleur du malheur

Fleur effeuillée
Fleur du bonheur

Chanteurs, rappeurs
Fleurs de banlieue
M. L. Chalaron

Les voyelles intermédiaires
[o] – [ɔ]

DESCRIPTION

[o]

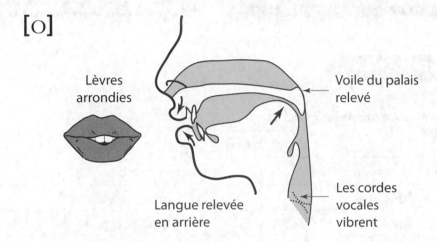

Lèvres arrondies

Voile du palais relevé

Les cordes vocales vibrent

Langue relevée en arrière

[o]

[ɔ]

[ɔ]

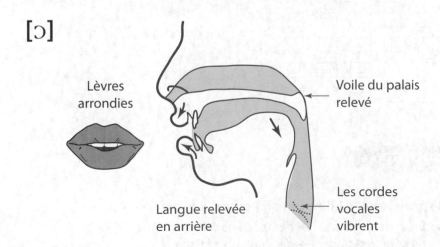

Lèvres arrondies

Voile du palais relevé

Les cordes vocales vibrent

Langue relevée en arrière

DISCRIMINATION

1 **Entendez-vous le même [o] ? Cochez.**

		Oui	Non			Oui	Non
Exemples	*pot / peau*	✔			*mot / mort*		✔
1.	haut / haute	...	...	5.	gros / grosse	...	...
2.	sot / sort	...	...	6.	beau / botte	...	...
3.	rose / mauve	...	...	7.	chaud / chaude	...	...
4.	mode / note	...	...	8.	tôt / tort	...	...

[o]

[ɔ]

2 **Séparez les mots par une barre (/) chaque fois que vous entendez un changement de voyelle.**

Exemple : colle colle colle   khôl khôl   colle.
→ ... ... / ... ... / ...

1. ... ...
2. ... ...
3. ... ...
4. ... ...

ARTICULATION

3 **Formez le pluriel, puis vérifiez votre réponse.**

Exemples : un sport national → des sports nationaux.
un hôpital régional → des hôpitaux régionaux.

un mandat international → ....

un code postal   → ....

un examen médical → ....

un match amical → ....

un travail spécial → ....

4 **Complétez, prononcez, puis vérifiez votre prononciation.**

Exemples : le bureau → aller au bureau.
les États-Unis → aller aux États-Unis.

le spectacle, le théâtre → aller ....

le concert, le cinéma → aller ....

le bord de l'eau → aller ....

les Pays-Bas → aller ....

les îles Baléares, les Antilles → aller ....

les Philippines, les Seychelles → aller ....

5 **Répétez les séries.**

• **Série 1 : syllabe ouverte**
[o] → métro, vélo, auto, frigo, trop, gros, sirop, maillot…

• **Série 2 : syllabe fermée**
[ɔ] → école, robe, mode, votre, col, colle, catastrophe, folle, bonne…
[o] → chose, rose, oser, proposer…

• **Série 3 : syllabe ouverte et fermée**
[o] → au, aux, haut, chaud, faux…
[o] → haute, chaude, fausse, cause, saute, gauche, jaune, astronaute, un autre…
[o] → diplôme, contrôle, drôle, le vôtre, symptôme…

[o]

[ɔ]

6 **Répétez (↓).**

[o]	[o]	[o] – [o]
C'est beau.	C'est drôle.	un beau cadeau
C'est gros.	C'est rose.	un gros paquebot
C'est faux.	C'est jaune.	une grosse dose
C'est haut.	C'est mauve.	un faux diplôme

7 **Répétez (→).**

[ɔ]	[ɔ] – [ɔ]	[o] – [ɔ]
Exemples : fort	*un alcool fort*	*un cyclone très fort*
bonne	*une bonne école*	*une drôle d'école*
moche	une robe moche	un trône moche
atroce	une mort atroce	une chose atroce
horrible	un homme horrible	une faute horrible
formidable	un sportif formidable	une sauce formidable
ordinaire	une mode extraordinaire	une rose extraordinaire

8 Abrégez les mots pour passer en français familier. Vérifiez vos réponses.

Exemple : un kilogramme ➜ un kilo.

une photographie ➜ une ....

une radiographie ➜ une ....

une motocyclette ➜ une ....

le métropolitain ➜ le ....

la météorologie ➜ la ....

les écologistes ➜ les ....

9 Écrivez les mots en français standard. Aidez-vous de votre dictionnaire.

*Exemples : Je mange au **restau**. ➜ au **restaurant**.*
*J'aime faire des **exos** de phonétique. ➜ des **exercices**.*

– J'ai un cours de **géo** et un cours de **philo**. ➜ ....

– Passe-moi ton **dico**. ➜ ....

– J'ai écouté les **infos** ce matin. ➜ ....

– Il y a une **expo** intéressante au musée ? ➜ ....

[o]

[ɔ]

– Dans mon **labo**, on travaille en équipe. ➜ ....

– Le **frigo** ne marche plus. ➜ ....

RYTHME ET INTONATION

10 Observez les groupes syllabiques et le schéma mélodique, puis répétez.

→   →   →   →   ↗   →   ↗   →   ↗

Exemple : Vous_avez peur de quoi ?   des drogues ?   des fauves ?

– Vous_avez peur de quoi ? des microbes ? des fantômes ?
– Vous_avez peur de quoi ? des chats qui miaulent ? de votre époque ?
– Vous_avez peur de quoi ? des contrôles de police ? de faire de l'auto-stop ?

11 Dites ce texte une fois lentement, en marquant bien les groupes rythmiques, puis une seconde fois, plus rapidement.

Elle porte / des costumes d'homme, / des colliers bariolés / et des chapeaux originaux. //
Elle adore le mauve, / le jaune / et le rose. // Elle grignote / des morceaux / de noix
de coco / et ne boit / que de l'eau. // Elle fait du judo / et de la photo, / et elle est folle /
de musique techno. // Elle est écolo, / mais elle vient / en moto / à son boulot*. //
C'est quoi son boulot ? // Elle présente la météo / avant les infos à la radio. //

* Français familier : boulot = travail.

12 Après une première écoute, répondez en imitant l'intonation proposée.

« C'est vraiment très beau, très, très beau !
— Non… C'est beau. Ce n'est pas très, très beau. »

« Mais tu es devenu chauve !
— C'est faux, je ne suis pas chauve ! »

« Il est vraiment trop gros !
— Trop gros ! Non, il n'est pas trop gros ! »

« Baisse la radio, c'est beaucoup trop fort !
— C'est un peu trop fort, mais ce n'est pas beaucoup trop fort. »

« Tu prends trop de photos !
— Comment je prends trop de photos ! Je ne prends pas trop de photos. »

PHONIE-GRAPHIE

• [o] et [ɔ] s'écrivent : « o », « au », « eau ».
• Le « o » peut porter un accent circonflexe : *à côté de, un trône, un arôme…*

Attention !
– *maximum, minimum* → [maksimɔm], [minimɔm] ;
– *alcool* → [alkɔl].

[o]

[ɔ]

13 Sélectionnez, dans le chapitre, des mots avec les sons [o] et [ɔ]. Notez-les.

[o]				[ɔ]	
« o »	« ô »	« au »	« eau »	« o »	« au »
………………	………………	………………	………………	………………	………………
………………	………………	………………	………………	………………	………………

14 Écrivez les mots suivants. Aidez-vous de votre dictionnaire.

Exemples : [boku] → *beaucoup.*
           [minimɔm] → *minimum.*

1. [tʁo]   →……………………………

2. [fotoɡʁaf] →……………………………

3. [kɔ̃tʁole]   →……………………………

4. [tʁavo]   →……………………………

5. [ɔʁibl]   →……………………………

6. [ʃov]   →……………………………

7. [telefɔn-pɔʁtabl] →……………………………

8. [oto-stɔp]   →……………………………

9. [epɔk]   →……………………………

10. [bote]   →……………………………

11. [alkɔlik]   →……………………………

12. [maksimɔm]   →……………………………

Dictée

15 Écoutez et écrivez.

1. ....

2. ....

3. ....

4. ....

5. ....

6. ....

INTERPRÉTATION

16 Lisez, à voix haute, ces titres d'informations. Ensuite, écoutez l'interprétation.

[o]

[ɔ]

> **Mercredi 15 octobre, *France Info*, les titres.**
>
> • **Météo**
> Temps beau et chaud.
>
> • **Société**
> Le chômage en hausse.
> Contrôle des passeports dans les aéroports.
> Colère dans les hôpitaux.
>
> • **Écologie**
> Le problème de l'eau.
> Métro, auto ou vélo ?
>
> • **Mode**
> Du rose et du mauve et du jaune pour l'été.
>
> • **Faits divers**
> Vol à la poste de Pau.
>
> • **Musique**
> Le quatuor à cordes *Vox* applaudi à Pau, Bordeaux, Grenoble et Limoges.
>
> • **Sport**
> Football. Bordeaux–Limoges : le score.

Les voyelles intermédiaires
/E/ – /Œ/ – /O/

DISCRIMINATION

/E/

/Œ/

/O/

1 **Cochez la phrase entendue.**

Exemples				
	Regarde le professeur.	✔	Regarde les professeurs.	
	Regarde le livre.		Regarde les livres.	✔
1.	Regarde le tableau.	...	Regarde les tableaux.	...
2.	Regarde ce type.	...	Regarde ces types.	...
3.	Épluche ce légume.	...	Épluche ces légumes.	...
4.	Porte ce plat.	...	Porte ces plats.	...
5.	Apporte des journaux.	...	Apporte deux journaux.	...
6.	Achète des œufs.	...	Achète deux œufs.	...

2 **Écoutez les paires de phrases.**

– Je paye.	– J'ai payé.	– Je travaille tard.	– J'ai travaillé tard.
– J'arrête.	– J'ai arrêté.	– Je jette cette photo.	– J'ai jeté cette photo.
– Je note.	– J'ai noté.	– Je pense à toi.	– J'ai pensé à toi.
– Je ris.	– J'ai ri.	– Je remplis le chèque ?	– J'ai rempli le chèque ?
– Je réfléchis.	– J'ai réfléchi.	– J'écris mon rapport.	– J'ai écrit mon rapport.

3 **Dans l'exercice 2, soulignez les phrases que vous entendez.**

Exemples : *Je paye*. / J'ai payé.

Je travaille tard. / *J'ai travaillé tard*.

4 Cochez la phrase entendue.

Exemples	Je veux manger.	✔	Je vais manger.	
	Je veux partir.		Je vais partir.	✔
1.	Je ne veux pas rester.	...	Je ne vais pas rester.	...
2.	Je ne veux pas dormir.	...	Je ne vais pas dormir.	...
3.	Je veux me reposer.	...	Je vais me reposer.	...
4.	Je veux me coucher.	...	Je vais me coucher.	...
5.	Je ne veux pas me lever.	...	Je ne vais pas me lever.	...
6.	Je ne veux pas me dépêcher.	...	Je vais me dépêcher.	...

5 Dans quel ordre entendez-vous ces mots ? Notez-le.

/E/
/Œ/
/O/

	Syllabe ouverte				Syllabe fermée	
Exemples	fée feu faux	2 – 1 – 3			frère fleur flore	1 – 2 – 3
1.	dé deux dos	....	6.		père peur port	....
2.	ses ceux saut	....	7.		sel seul sol	....
3.	mes meut mot	....	8.		mère meurt mort	....
4.	les leu lot	....	9.		l'air l'heure l'or	....
5.	né nœud nos	....	10.		Le Caire le cœur le corps	....

ARTICULATION

6 Répétez les suites (→).

pépé	peupeu	popo		dédé	deudeu	dodo
bébé	beubeu	bobo		néné	neuneu	nono
mémé	meumeu	momo		séssé	seusseu	sosso
tété	teuteu	toto		lélé	leuleu	lolo

7 Prononcez les verbes au passé composé, puis vérifiez votre prononciation.

Exemple : Je mange. → *J'ai mangé.*

Je répète. → ....   Elle se réveille. → ....

Je demande. → ....   Elle se peigne. → ....

Je finis. → ....   Elle se lève tard. → ....

Je dis. → ....   Elle se présente. → ....

8 | Formez le verbe dérivé. Prononcez-le, puis vérifiez votre prononciation.

« Re- » devant une consonne	« Ré- » devant une voyelle
Exemples : Commencer et *recommencer*.	*Écrire et **réécrire**.*
Passer et	Écouter et ....
Servir et	Apprendre et ....
Construire et	Entendre et ....
Faire et	Organiser et ....

9 | Répétez les suites.

[e] – [ø]	[ø] – [ɛ]	[œ] – [ɔ]
les adieux	un jeu d'échec	un cœur d'or
les chanceux	un dieu grec	une fleur morte
les curieux	un feu faible	une seule note
les heureux	un peu d'air	une peur folle

[o] – [ɛ]	[ɛ] – [ɔ]	[o] – [œ]
un beau-père	une belle robe	un pot de fleurs
un mot bref	un hiver proche	un auto-stoppeur
un do dièse	une mer forte	un beau meuble
un seau beige	un bel effort	un piano neuf

/E/

/Œ/

/O/

0 | Prononcez ces mots (↓), puis vérifiez votre prononciation.

À table !

[e]	[ɛ]	[ø]	[œ]	[o]	[ɔ]
du café	un verre	des œufs	un œuf	de l'eau	de l'alcool
du thé	une assiette		du bœuf	du veau	du porc
de la purée	une fourchette		une odeur	de la sauce	des biscottes
du vin rosé	une cuillère			des haricots*	des carottes
	une recette			des gâteaux	du fromage
				un couteau	
préparer	un steak			une noix de coco	
manger	du sel				
déjeuner	des crêpes				
dîner	de la crème				
dévorer	une bière				
goûter	du lait				
	du poulet				
Assez !		Un peu !		Pas trop !	Encore !

>>> * Voir les annexes, *Le « h » dit aspiré* (page 182). <<<

RYTHME ET INTONATION

11 **Posez des questions en respectant le schéma mélodique.**

Exemple : → → → → ↗ → → → → → →

Aimer beaucoup ou peu le cinéma ➜ *Vous aimez beaucoup ou peu le cinéma ?*

Consulter beaucoup ou peu Internet

➜ ....

Danser beaucoup ou peu

➜ ....

Préférer visiter les pays de l'est ou de l'ouest

➜ ....

Préférer les choses salées ou sucrées

➜ ....

Collectionner des objets précieux ou ordinaires

➜ ....

/E/
/Œ/
/O/

12 **Après une première écoute, reprenez les réponses en marquant l'hésitation.**

« Tu as aimé ?
— Euh… non,… je n'ai pas aimé. »

« Vous avez hésité ?
— Euh… non,… je n'ai pas hésité. »

« Vous avez insisté ?
— Euh… non,… je n'ai pas insisté. »

« Vous allez refuser ?
— Euh… non,… je ne crois pas, je ne vais pas refuser. »

« Vous pouvez m'expliquer ?
— Euh… non,… c'est délicat, je ne peux pas vous expliquer. »

« Tu peux me raconter ?
– Euh… non,… je ne peux pas, je ne peux pas te raconter. »

13 **Imitez l'intonation expressive proposée.**

1. Il est fort, vraiment fort, ce café !
2. Elle a tort, vraiment tort, cette jeune fille !
3. C'est pas drôle, vraiment pas drôle, ce jeu !
4. Ils sont trop chers, vraiment trop chers, ces tableaux !
5. Il est beau, vraiment beau, ce feu !

14 **Faites préciser, comme le locuteur, en accentuant *très* et *trop*.**

1. C'est TRÈS beau ou c'est TROP beau ?
2. C'est TRÈS chaud ou c'est TROP chaud ?
3. C'est TRÈS tôt ou c'est TROP tôt ?
4. Elle est TRÈS sérieuse ou TROP sérieuse ?
5. Vous êtes TRÈS nombreuses ou TROP nombreuses ?
6. Il est TRÈS curieux ou TROP curieux ?

15 **Répétez en même temps que le locuteur : une première fois lentement, puis une seconde fois plus rapidement.**

Il prend toujours / un petit-déjeuner / copieux // : du café léger, / très peu sucré, / avec un peu de lait écrémé, / deux morceaux de brioches grillées, / légèrement beurrées, / avec un peu de miel, / un bol de céréales / avec des abricots secs / et des œufs brouillés. //

PHONIE-GRAPHIE

16 **Sélectionnez, dans le chapitre, des mots avec les sons [e], [ɛ], [ø], [œ], [o], [ɔ]. Notez-les.**

/E/
/Œ/
/O/

[e]	[ɛ]	[e] ou [ɛ]
....	....	....

[ø]	[œ]	[ø] ou [œ]
....	....	....

[o]	[ɔ]
....	....

17 **Écrivez les mots suivants. Aidez-vous de votre dictionnaire.**

Exemples : [mɛʀkʀədi] → *mercredi.*
[dɔktœr] → *docteur.*

1. [pøtɛtʀ] → ....
2. [pʀofɛsœʀ] → ....
3. [kɔnɛtʀ] → ....
4. [bibliɔtɛk] → ....
5. [univɛʀsite] → ....
6. [pʀɔblɛm] → ....
7. [pɛʀsɔn] → ....
8. [ɛkselɑ̃] → ....
9. [delisjø] → ....
10. [politɛs] → ....
11. [dezøne] → ....
12. [telefɔne] → ....

Dictée

18 **Écoutez et écrivez.**

1. ....

2. ....

3. ....

4. ....

5. ....

6. ....

INTERPRÉTATION

19 **Lisez à voix haute ces annonces sur répondeur. Ensuite, écoutez-les et reprenez-les.**

/E/

/Œ/

/O/

1. « Vous êtes sur le répondeur de Mathieu. Je ne peux pas vous répondre. Laissez-moi votre message, je vous rappellerai. »

2. « Bonjour, vous êtes au 07 02 13 16 27, chez Pierre et Zoé. Laissez-nous votre numéro de téléphone. »

3. « Salut, je suis très occupé. Merci de rappeler. »

4. « Léo Laborde a changé de numéro. Veuillez noter son nouveau numéro : 06 02 12 02 07. »

5. « Vous êtes sur le répondeur de la société *Beau Dodo*. Nous sommes fermés cette semaine. Veuillez rappeler la semaine prochaine. »

6. « Rappelez dans une heure ou deux, ou ce soir vers dix-neuf heures, ou… autre possibilité, jeudi à la même heure. »

Le [ə] instable

Lorsqu'il est prononcé, ce « e » est prononcé [œ], [ø] ou [ə]. Nous le noterons [ə].

SENSIBILISATION

DISCRIMINATION

1 Entendez-vous le « e » final des noms au singulier ? Cochez.

[ə]

		Oui	Non				Oui	Non
1.	la famille	...	...		7.	la rue	...	...
2.	le père	...	...		8.	l'avenue	...	...
3.	la mère	...	...		9.	la boulangerie	...	...
4.	le frère	...	...		10.	la pharmacie	...	...
5.	l'oncle	...	...		11.	le musée	...	...
6.	la tante	...	...		12.	la banlieue	...	...

↪ **À la fin des mots, le « e » n'est pas prononcé en français standard.**

2 Quelle voyelle entendez-vous dans les déterminants ?

		[ə]	[e]
Exemple	*le livre*	✔	
1.	les livres	...	...
2.	ces verbes	...	...
3.	ce verbe	...	...
4.	le dictionnaire	...	...
5.	les dictionnaires	...	...

>>> Voir partie I-3, *Liaisons et enchaînements* (pages 23-24). <<<

3 Observez la conjugaison des verbes au présent. Barrez les lettres finales qui ne se prononcent pas.

Devant une consonne	Devant une voyelle
je chante	j'écoute
tu chantes	tu écoutes
il / elle / on chante	il / elle / on‿écoute
ils / elles chantent	ils / elles‿écoutent

4 Observez et prononcez. Vérifiez votre prononciation.

1. Devant une consonne : pas d'élision, pas de liaison.

une famille	des familles	la famille	les familles
un père	des pères	le père	les pères
une mère	des mères	la mère	les mères

2. Devant une voyelle : élision et liaison.

un‿oncle	des‿oncles	l'oncle	les‿oncles
un‿ami	des‿amis	l'ami	les‿amis
une‿amie	des‿amies	l'amie	les‿amies

>>> Voir partie I-3, *Liaisons et enchaînements* (pages 23-24). <<

[ə]

5 Quelle phrase entendez-vous ? Cochez.

Exemple	Je le veux.	✔	Je veux.	
1.	Je le prends.	...	Je prends.	...
2.	Je le mange.	...	Je mange.	...
3.	Je le comprends.	...	Je comprends.	...
4.	Je le répète.	...	Je répète.	...
5.	Je te parle.	...	Je parle.	...
6.	Je te crois.	...	Je crois.	...

6 Quelle question entendez-vous ?

Exemple	Tu me sers à boire ?		Tu sers à boire ?	✔
1.	Tu me prépares un café ?	...	Tu prépares un café ?	...
2.	Tu me trouves un stylo ?	...	Tu trouves un stylo ?	...
3.	Tu me réserves une place ?	...	Tu réserves une place ?	...
4.	Tu m'expliques la règle ?	...	Tu expliques la règle ?	...

7 Barrez les « e » qui ne sont pas prononcés, puis répétez.

Exemples : On se téléphone à quelle heure ?

1. On se retrouve à quelle adresse ?
2. On se prépare quelque chose ?
3. On se quitte maintenant ?
4. On se donne rendez-vous en ville ?

8 Observez les deux façons de prononcer les mots suivants. Barrez le « e » lorsqu'il n'est pas prononcé, puis répétez.

Exemples : *une fenêtre* → [yn-fə-nɛtʀ].
la fenêtre → [la-fnɛtʀ].

une chemise	→ [yn-ʃə-miz]	la chemise	→ [la-ʃmiz]
une leçon	→ [yn-lə-sɔ̃]	la leçon	→ [la-lsɔ̃]
une semaine	→ [yn-sə-m n]	la semaine	→ [la-smɛn]
une cheminée	→ [yn-ʃə-mi-ne]	la cheminée	→ [la-ʃmi-ne]
une pelouse	→ [yn-pə-luz]	la pelouse	→ [la-pluz]

↪ Le « e » ne se prononce (généralement) pas s'il est précédé d'une seule consonne phonétique :
– *la chemise* (une consonne phonétique : [ʃ]), le « e » ne se prononce pas ;
– *une chemise* (deux consonnes phonétiques : [n] et [ʃ]), le « e » se prononce.

9 Répétez ces verbes au futur.

Une seule consonne phonétique avant le « e » : le « e » peut tomber.		Deux consonnes avant le « e » : généralement le « e » ne tombe pas.	
Je l'enlèverai après.	[ɑ̃lɛvʀɛ]	Il parlera.	[paʀləʀa]
Nous serons là demain.	[sʀɔ̃]	Tu tourneras.	[tuʀnəʀa]
Ils ne te quitteront pas.	[kitʀɔ̃]	Elle restera.	[ʀɛstəʀa]

[ə]

ARTICULATION

10 Répétez les transformations de ces phrases.

1. *Je* + *ne* + consonne sonore

Je ne veux pas.	→ Je n'veux pas.*	→ J'veux pas.*
Je ne bois pas.	Je n'bois pas.*	J'bois pas.*
Je ne dors pas.	Je n'dors pas.*	J'dors pas.*

2. *Je* + *ne* + consonne sourde

Je ne pense pas.	→ Je n'pense pas.*	→ Ch'pense pas.*
Je ne comprends pas.	Je n'comprends pas.*	Ch'comprends pas.*
Je ne trouve pas.	Je n'trouve pas.*	Ch'trouve pas.*

3. *Je* + *ne* + « s » et « ch »

Je ne sais pas.	→ Je n'sais pas.*	→ Ch: ais pas.*
Je ne suis pas là.	Je n'suis pas là.*	Ch: uis pas là.*
Je ne cherche pas.	Je n'cherche pas.*	Ch: erche pas.*

* Cette transcription note la prononciation, mais n'est pas celle de l'écrit.

11 Pendant une première écoute (→), barrez les « e » non prononcés, puis répétez.

se promener	Promenons-nous !	Promenez-vous !
se souvenir	Souvenons-nous !	Souvenez-vous !
appeler	Appelons-le !	Appelez-le !
acheter	Achetons-le !	Achetez-le !

↳ À l'impératif, le « e » du pronom *le* se prononce toujours.

12 Répétez. Attention aux enchaînements.

« e » + **voyelle** : enchaînement	« e » + **consonne** : prononcez le « e »
– une table‿en bois	– une tabl**e** carrée
– un livre‿exceptionnel	– un livr**e** rare
– une fenêtre‿ouverte	– une fenêtr**e** fermée
– une tarte‿aux pommes	– une tart**e** brûlée
– une lettre‿ancienne	– une lettr**e** perdue

13 Répétez.

[ə]

À l'initiale : « e » prononcé	Deux consonnes devant : « e » prononcé		Une consonne devant : « e » **non prononcé**
le professeur	pour **le** professeur	avec **le** professeur	chez l∅ professeur
le médecin	pour **le** médecin	avec **le** médecin	chez l∅ médecin
le pharmacien	pour **le** pharmacien	avec **le** pharmacien	chez l∅ pharmacien
le président	pour **le** président	avec **le** président	chez l∅ président
le ministre	pour **le** ministre	avec **le** ministre	chez l∅ ministre

14 Répétez.

Deux consonnes devant : « e » prononcé	Une consonne devant : « e » **non prononcé**	
en face d**e** la gare	près d∅ la gare	à côté d∅ la gare
en face d**e** la banque	près d∅ la banque	à côté d∅ la banque
en face d**e** la poste	près d∅ la poste	à côté d∅ la poste
en face d**e** la mairie	près d∅ la mairie	à côté d∅ la mairie
en face d**e** la fenêtre	près d∅ la f∅nêtre	à côté d∅ la f∅nêtre

Deux consonnes devant : « e » prononcé	Une consonne devant : « e » **non prononcé**
sur **le** lit	sous l∅ lit
sur **le** buffet	sous l∅ buffet
sur **le** banc	sous l∅ banc
sur **le** camion	sous l∅ camion
sur **le** bureau	sous l∅ bureau

RYTHME ET INTONATION

15 **Barrez les « e » qui ne se prononcent pas, puis répétez.**

Exemple : Quand on n'a plus de viande, on va à la boucherie.

• Quand on n'a plus de pain, on va à la boulangerie.
• Quand on n'a plus de lait, on va à l'épicerie.
• Quand on n'a plus de cigarettes, on va au bureau de tabac.
• Quand on n'a plus de voiture, on va à la gendarmerie !

>>> Voir partie I-3, *Liaisons et enchaînements* (page 27). <<<

16 **Répétez les séries de questions.**

1. – Est-ce que vous venez ?
   – Est-ce que vous comprenez ?
   – Est-ce que vous travaillez ?

2. – Est-ce que vous avez complété le texte ?
   – Est-ce que vous avez compris ?
   – Est-ce que vous avez terminé l'exercice ?

3. – Qu'est-ce que vous voulez ?
   – Qu'est-ce que vous faites ?
   – Qu'est-ce que vous dites ?

4. – Où est-ce que vous habitez ?
   – Où est-ce que vous partez ?
   – Où est-ce que vous allez ?

[ə]

17 **Pendant une première écoute, barrez les « e » non prononcés, puis répétez.**

« Tu seras là ?
— Je serai là. »

« Tu filmeras ?
— Je filmerai. »

« Tu arriveras à l'heure ?
— J'arriverai à l'heure. »

« Vous déjeunerez avec nous ?
— Je déjeunerai avec vous. »

« Tu te lèveras ?
— Je me lèverai. »

« On visitera la ville ?
— On visitera la ville. »

« On regardera la télé ce soir ?
— On regardera la télé ce soir. »

« Vous retournerez cet été dans votre pays ?
— Je retournerai cet été dans mon pays. »

18 **Allongez les phrases. Respectez les groupes rythmiques et l'allongement de la dernière syllabe.**

1. J'aimerais.
   J'aimerais une bière.
   J'aimerais une bière brune.
   J'aimerais une bière brune sans mousse !

2. J'aimerais vite comprendre.
   J'aimerais vite comprendre cette phrase.
   J'aimerais vite comprendre cette phrase française.

19 **Répétez en respectant le rythme.**

- Dites-le / et redites-le !
- Fais-le / et refais-le / cet exercice !
- Cherche-le / et recherche-le !
- Lis-le / et relis-le / ce livre !

20 **Reprenez avec l'intonation proposée.**

1. Il a téléphoné et retéléphoné… dix fois !
2. Encore elle ! Elle passe et elle repasse devant le magasin sans cesse !
3. Tu te ressers à boire ? Encore !
4. Il se lève, se recouche, se relève, se recouche et se rendort enfin !

21 **Répétez en respectant le nombre de syllabes.**

Exemples : *Si peu de temps !* ➔ [si-pø-dtɑ̃] : *3 syllabes.*
Beaucoup de larmes ! ➔ [bo-ku-dlaʀm] : *3 syllabes.*

Si peu de chance !   Beaucoup de fatigue !
Si peu de patience !   Beaucoup de soucis !
Si peu de courage !   Beaucoup de problèmes !
Si peu de vacances !   Beaucoup de malheurs !

[ə]

22 **Répétez en respectant le nombre de syllabes.**

1. Y a pas dé sucre !   **3.** Y a plus beaucoup dé beurre !
Y a pas dé café !   Y a plus beaucoup dé riz !
Y a pas dé pain !   Y a plus beaucoup dé miel !

2. Y a plus dé thé !   **4.** Y a plus du tout dé yaourts !
Y a plus dé pommes !   Y a plus du tout dé gâteaux !
Y a plus dé chocolat !   Y a plus du tout dé jus de fruits !

23 **Barrez les « e » qui ne se prononcent pas. Marquez les liaisons et les enchaînements, puis répétez les petits dialogues.**

Exemple :   – Il pensé à ellé ?
            – Bien sûr, il pensé à ellé. [bjɛ̃-syʀ-il-pɑ̃-sa-ɛl]

« Ferme la grande porte !   « Je peux parler ?
— Je ferme la petite porte aussi ? » — Je pense que oui. »

« Allô, tu ne m'entends pas ?   « Je compte sur toi à ma fête ?
–– Si, je t'écoute. Qu'est-ce qu'il y a ? » — Oui, sûrement ! »

« Je cherche un appartement.   « Je crois qu'il va neiger demain !
–– Ah ! Tu veux acheter ou louer ? »   — C'est possible. »

24 Insistez sur la voyelle « e » en gras.

1. J'ai dit une le**ç**on, pas un son !
2. J'ai dit un r**e**pas, pas un pas !
3. J'ai dit une r**e**cette, pas un sept !
4. J'ai dit un m**e**nu, pas un nu !
5. J'ai dit une s**e**maine, pas une scène !
6. J'ai dit un squ**e**lette, pas une lettre !

PHONIE-GRAPHIE

25 Sélectionnez, dans le chapitre, des mots avec un [ə] instable. Notez-les.

« e »	
....	....
....	....
....	....
....	....

26 Écrivez les mots suivants. Aidez-vous de votre dictionnaire. Attention aux lettres qui ne se prononcent pas.

Exemples : [samdi] → *samedi.*
　　　　　[aple] → *appeler, appelez, appelé(e).*

[ə]

1. [səmɛn] → ....
2. [mɛ̃tnɑ̃] → ....
3. [fɛʀm] → ....
4. [vɑ̃dʀədi] → ....
5. [vəne] → ....
6. [apaʀtəmɑ̃] → ....
7. [pʀɔmnad] → ....
8. [aʃte] → ....
9. [mɛdsɛ̃] → ....
10. [dusmɑ̃] → ....
11. [bulɑ̃ʒʀi] → ....
12. [ʀəpa] → ....

Dictée

27 Écoutez et écrivez.

1. ....
2. ....
3. ....
4. ....
5. ....
6. ....

INTERPRÉTATION

28 Lisez ce texte à voix haute, seule(e) ou à deux. Ensuite, écoutez-le.

> J'écoute ce qu'on me dit
> j'écoute toujours ce qu'on me dit
> j'écoute sans rien dire.
> Ça leur fait plaisir.
> J'écoute ce qu'on me dit
> j'écoute toujours ce qu'on me dit
> et n'en fais qu'à ma tête.
>
> Bernard Friot, *À mots croisés*,
> éditions Milan poche, 2004.

[ə]

[ɛ]

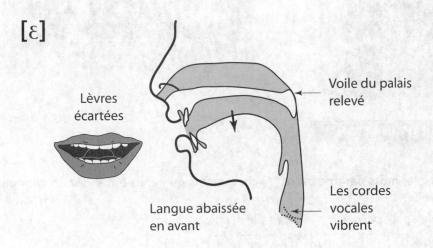

Lèvres écartées

Voile du palais relevé

Les cordes vocales vibrent

Langue abaissée en avant

[ɛ]

[ɛ̃]

[ɛ̃]

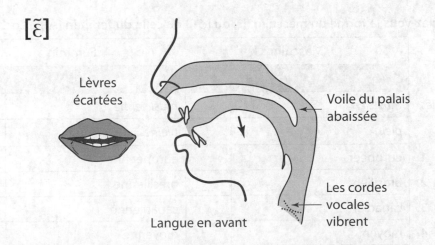

Lèvres écartées

Voile du palais abaissée

Les cordes vocales vibrent

Langue en avant

SENSIBILISATION

DISCRIMINATION

1 Séparez les mots par une barre (/) chaque fois que vous entendez un changement de voyelle.

Exemple : paix paix paix   pin pin pin   paix.

[ɛ]

[ɛ̃]

→ ⬚ ⬚ ⬚ / ⬚ ⬚ ⬚ / ⬚

1. ⬚ ⬚ ⬚ ⬚ ⬚ ⬚ ⬚

2. ⬚ ⬚ ⬚ ⬚ ⬚ ⬚ ⬚

3. ⬚ ⬚ ⬚ ⬚ ⬚ ⬚ ⬚

4. ⬚ ⬚ ⬚ ⬚ ⬚ ⬚ ⬚

2 Entendez-vous la forme du masculin ([ɛ̃] ou [œ̃]) ou celle du féminin [ɛn] ? Cochez.

	Masculin		Féminin	
	[ɛ̃]		[ɛn]	
Exemples	*musicien*	✔	*musicienne*	
	plein		*pleine*	✔
1.	européen	...	européenne	...
2.	brésilien	...	brésilienne	...
3.	canadien	...	canadienne	...
4.	moyen	...	moyenne	...
5.	sain	...	saine	...

	[ɛ̃]		[in]	
Exemple	*fin*	✔	*fine*	
1.	copain	...	copine	...
2.	argentin	...	argentine	...
	[ɛ̃] ou [œ̃]		[yn]	
Exemple	*brun**		*brune*	✔
1.	commun*	...	commune	...
2.	un*	...	une	...
3.	chacun*	...	chacune	...
4.	quelques-uns*	...	quelques-unes	...

↳ *** Les mots terminés par *un* sont rares... la prononciation traditionnelle est [œ̃] mais, en France, de plus en plus souvent, ils sont prononcés [ɛ̃].**

>>> Voir partie III-2, [s] – [ʃ] – [z] – [ʒ] (page 158). <<<

ARTICULATION

[ɛ]

[ɛ̃]

3 **Répétez (→). Les mots en gras ont la même prononciation.**

paix	**pain, peint***	peine
baie	bain	benne
gai	gain	gaine
sait*, sais*	**saint, sein, sain**	**Seine, scène**
vais*	**vin, vingt, vain**	**veine, vaine**
mets*	main	mène*
naît*	nain	naine
lait, laid	lin	laine

* Formes verbales de *savoir, aller, mettre, naître, peindre, mener.*

4 **Répétez. Faites bien la différence entre les sons [ɛ̃] et [ɛ] ou [e].**
*Exemple : Le climat est **sain**, on le **sait**.*

[ɛ̃]   [ɛ] ou [e]

1. Je **vais** acheter du **vin**.
2. J'ai **fait** du sport ; j'ai **faim**.
3. Il prend un **bain** dans la **baie**.
4. Ne **mets** pas tes **mains** là !
5. J'ai renversé du **lait** sur sa veste en **lin**.

5 **Passez oralement du masculin au féminin, puis vérifiez votre prononciation.**

*Exemple : C'est un musicien **coréen**. → C'est une musicienne **coréenne**.*

[ɛ̃]   [ɛn]

C'est un pharmacien parisien. → ....   C'est un gamin brésilien. → ....

C'est un ancien comédien.   → ....   C'est un copain indien.   → ....

6 **Complétez oralement les phrases avec l'adjectif au masculin, puis vérifiez votre prononciation.**

*Exemple : Une bouteille **pleine** et un verre .... → Une bouteille pleine et un verre **plein**.*

[ɛn]   [ɛ̃]

Une photo ancienne et un bijou ....   Une bouche fine et un nez ....

Une fille musicienne et un fils ....   Une coiffure féminine et un visage ....

Une ville lointaine dans un pays ....   Une profession masculine et un travail ....

7 **Conjuguez les verbes avec les pronoms proposés, puis vérifiez.**

Exemples :   *Venir demain* → *Il vient demain.*   – *Ils viennent demain.*
           Tenir debout → *Elle tient debout.*   – *Elles tiennent debout.*

[ɛ]
[ɛ̃]

– Revenir le 5   → On ....   – Ils ....

– Se souvenir de vous   → Elle se ....   – Elles se ....

– Obtenir des résultats   → Il ....   – Ils ....

8 **Répétez la conjugaison des verbes *éteindre* et *se plaindre*.**

[ɛ]		[ɛnj]	
j'éteins	je me plains	nous éteignons	nous nous plaignons
tu éteins	tu te plains	vous éteignez	vous vous plaignez
il éteint	il se plaint	ils éteignent	ils se plaignent

Variation : conjuguez les verbes *repeindre, teindre, craindre, contraindre*.

9 **Répétez. Distinguez bien les deux prononciations.**

[in] + voyelle   **[ɛ̃] + consonne**

i-nu-tile   in-cer-tain

i-nou-bli-able   in-co-rrect

i-nac-cep-table   in-com-plet

i-no-pé-rable   in-vi-sible

i-né-vi-table   im-po-ssible

i-nhu-main   im-bu-vable

RYTHME ET INTONATION

10 Après une première écoute, répétez en même temps que le locuteur. Respectez les groupes rythmiques.

« Bon / alors… j'achète du pain, / du vin, / du thym / et du raisin ? //
Non, / c'est pas la peine / d'acheter du thym / et du raisin, / mais achète du pain / et du vin. // »

11 Reprenez ces courts dialogues avec les intonations proposées.

« À demain !
— À demain ! »

« À demain ?
— Mais oui, à demain. »

« À demain ?
— Mmm…, à demain… c'est pas certain. »

« Demain, tu reviens demain ?
— Non, après-demain ! »

« À lundi prochain !
— Lundi prochain ! Pas avant lundi prochain ? »

« À demain.
— Non, pas avant la semaine prochaine. »

PHONIE-GRAPHIE

$[\varepsilon]$
$[\tilde{\varepsilon}]$

• $[\tilde{\varepsilon}]$ s'écrit : « in », « ain », « ein », « yn », « un », « im »*, « aim »*, « ym »*, « um »*.
• $[e\tilde{\varepsilon}] \rightarrow$ « éen » – $[j\tilde{\varepsilon}] \rightarrow$ « ien », « yen » – $[w\tilde{\varepsilon}] \rightarrow$ « oin ».

* **Attention !** On rencontre « m » :
– devant « p » ou « b » : « im », « aim », « ym », « um » ;
– en finale dans quelques mots : *faim*, *parfum*.

12 Sélectionnez, dans le chapitre, des mots avec le son $[\tilde{\varepsilon}]$. Notez-les.

$[\tilde{\varepsilon}]$		
« in », « im »	« ain », « aim »	« yn », « ym »
....	....	....
....	....	....
« ein »	« un »	« um »
....	....	....
$[e\tilde{\varepsilon}]$	$[j\tilde{\varepsilon}]$	$[w\tilde{\varepsilon}]$
« éen »	« ien », « yen »	« oin »
....	....	....
....	....	....

13 Écrivez les mots suivants. Aidez-vous de votre dictionnaire.

Exemple : [fɛ̃] ➜ *faim* ou *fin.*

1. [pɛ̃] ➜ ....

2. [mɛ̃] ➜ ....

3. [mwɛ̃] ➜ ....

4. [lwɛ̃] ➜ ....

5. [lapɛ̃] ➜ ....

6. [matɛ̃] ➜ ....

7. [etɛ̃dʀ] ➜ ....

8. [ɑ̃sjɛ̃] ➜ ....

9. [mwajɛ̃] ➜ ....

10. [ɛ̃byvabl] ➜ ....

Dictée

14 Écoutez et écrivez.

1. ....

2. ....

3. ....

4. ....

5. ....

6. ....

[ɛ]

[ɛ̃]

INTERPRÉTATION

15 Lisez ce texte à voix haute, puis écoutez-le.

> Elle se souvient
> c'était en juin.
>
> Elle l'a vu arriver de loin
> une silhouette sur le chemin
> puis ses yeux plantés dans les siens.
>
> C'était en juin
> et la vie soudain qui revient.
>
> M. L. Chalaron

[a]

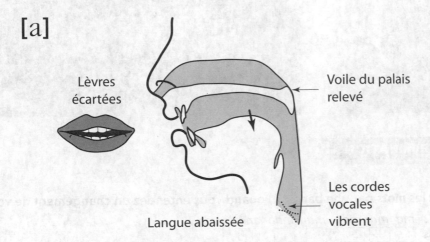

Lèvres
écartées

Voile du palais
relevé

Les cordes
vocales
vibrent

Langue abaissée

[ɑ̃]

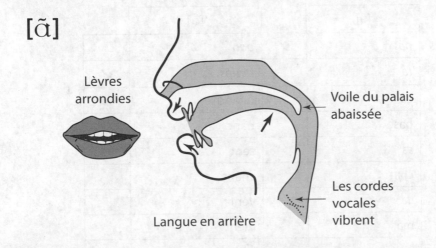

Lèvres
arrondies

Voile du palais
abaissée

Les cordes
vocales
vibrent

Langue en arrière

[a]

[ɑ̃]

SENSIBILISATION

DISCRIMINATION

1 Séparez les mots par une barre (/) quand vous entendez un changement de voyelle.

Exemple : ma ma ma   man man ma man.

→ [...] [...] [...] / [...] [...] / [...] / [...]

[a]

[ɑ̃]

1. [...] [...] [...] [...] [...] [...] [...] [...]

2. [...] [...] [...] [...] [...] [...] [...] [...]

3. [...] [...] [...] [...] [...] [...] [...] [...]

4. [...] [...] [...] [...] [...] [...] [...] [...]

2 Quel mot entendez-vous ? Cochez.

	[a]		[ɑ̃]	
Exemples	pas	✔	pan	
	ta		temps	✔
1.	cas	...	quand	...
2.	bas	...	banc	...
3.	sa	...	sent	...
4.	chat	...	chant	...
5.	va	...	vent	...
6.	ma	...	ment	...
7.	la	...	lent	...
8.	rat	...	rend	...

ARTICULATION

3 | **Répétez les séries (→). Ouvrez bien la bouche pour prononcer** [a] **et pour prononcer** [ɑ̃].

- **Série 1**

pas	pan	pan	pas	pense*
ta	temps	temps	ta	tante
cas	quand	quand	cas	casse
bas	banc	banc	bas	banque

- **Série 2**

sa	sent	sent	sa	sens
chat	chant	chant	chat	chante*
va	vent	vent	va	vante*
ma	ment	ment	ma	menthe

* Formes verbales de *penser, chanter, vanter*.

4 | **Répétez. Faites bien la différence entre les sons** [a] **et** [ɑ̃].

Exemple : Tu m'attends. / Tu m'entends.
  [tymatɑ̃] [tymɑ̃tɑ̃]

– Achète des bas. /Achète des bancs.
– Tâte-le. / Tente-le.
– J'aime les chats. / J'aime les chants.

– Il est gras. / Il est grand.
– Le premier rat. / Le premier rang.
– Il est las. / Il est lent.

[a]

[ɑ̃]

5 | **Prononcez l'adjectif, puis l'adverbe de chaque série.**

- **Série 1**

[ɑ̃]	[… amɑ̃]
méchant	→ méchamment
courant	→ couramment
élégant	→ élégamment
bruyant	→ bruyamment
savant	→ savamment

- **Série 2**

[ɑ̃]	[… amɑ̃]
prudent	→ prudemment
différent	→ différemment
intelligent	→ intelligemment
violent	→ violemment
fréquent	→ fréquemment

6 | **Répétez les phrases en respectant les enchaînements.**

Singulier

[paʁɑ̃]
Je pars_en chantant.
Tu pars_en sifflant.

[sɔʁɑ̃]
Elle sort_en courant.
Il sort_en râlant.

Pluriel

[paʁtɑ̃]
Ils partent_en riant.
Elles partent_en courant.

[sɔʁtɑ̃]
Ils sortent_en parlant.
Elles sortent_en chantant.

>>> Voir partie I-3, *Liaisons et enchaînements* (pages 24-25). <<<

RYTHME ET INTONATION

7 Répétez en respectant le rythme et l'accentuation finale. Faites les enchaînements.

→ → ↘   → →   →   → → ↘

Exemples : Papa part.   *Papa part_en septembre.*

Papa parle.   Papa parle avec maman.

Papa pense.   Papa pense à maman.

Papa danse.   Papa danse sans maman.

>>> Voir partie I-3, *Liaisons et enchaînements* (pages 26-27). <<

VARIATION : remplacez *Papa* par *Maman*.

8 Répétez en respectant le rythme régulier des syllabes inaccentuées. Allongez la syllabe accentuée.

Exemple :

→ → → → →   → ↗   → → → → →   → ↘

Il y a des passants / qui passent, il y a des passants / qui pensent…

– Il y a des lamas qui crachent, il y a des lamas qui mangent…
– Il y a des amants qui parlent, il y a des amants qui dansent…
– Il y a des enfants qui chantent, il y a des enfants qui tremblent…
– Il y a des marchands qui vendent, il y a des marchands qui mentent…
– Il y a des savants qui parlent, il y a des savants qui pensent…

VARIATIONS : **1.** Dites ces phrases à deux.
            2. Dites ces phrases en français familier : prononcez [ja] et non [ilja].

[a]
[ã]

PHONIE-GRAPHIE

• [a] s'écrit « a ».

>>> Voir partie II-1, *La voyelle ouverte* [a] *et le son* [wa] (pages 31-33). <<

• [ã] s'écrit « an », « en », « am »*, « em »*.

*** Attention !** « n- » devient « m- » devant « -p » ou « -b ».

9 Sélectionnez, dans le chapitre, des mots avec le son [ã]. Notez-les.

[ã]			
« an »	« en »	« am »	« em »
....	....	....	....
....	....	....	....

10 Écrivez les mots. Aidez-vous de votre dictionnaire.

Exemple : [ɑ̃ʃɑ̃tɑ̃] → *en chantant.*

1. [pɑ̃se] → ....

2. [atɑ̃dʀ] → ....

3. [kuʀɑ̃] → ....

4. [paʀɑ̃] → ....

5. [vakɑ̃s] → ....

6. [novɑ̃bʀ] → ....

7. [depaʀtəmɑ̃] → ....

8. [aʀʒɑ̃] → ....

9. [ʃɑ̃] → ....

10. [meʃamɑ̃] → ....

Dictée

11 Écoutez et écrivez.

1. ....

2. ....

3. ....

4. ....

5. ....

6. ....

[a]

[ɑ̃]

INTERPRÉTATION

12 Lisez ce texte à voix haute, puis écoutez-le.

Armand

Parti en dormant
Parti en rêvant
Parti ! Armand

M. L. Chalaron

DESCRIPTION

[o]

[ɔ̃]

[o]

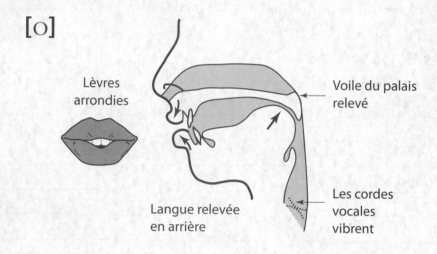

Lèvres
arrondies

Voile du palais
relevé

Langue relevée
en arrière

Les cordes
vocales
vibrent

[ɔ̃]

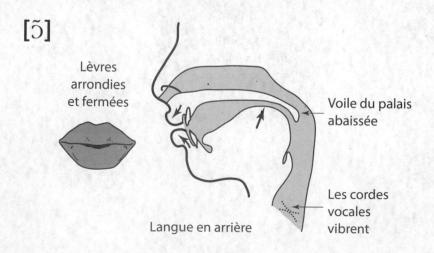

Lèvres
arrondies
et fermées

Voile du palais
abaissée

Langue en arrière

Les cordes
vocales
vibrent

SENSIBILISATION

DISCRIMINATION

1 **Quel mot entendez-vous ? Cochez.**

Exemple	ont*		au	✔
1.	peau	...	pont	...
2.	beau	...	bon	...
3.	dos	...	don	...
4.	faux		font*	...
5.	sot	...	sont*	...
6.	veau		vont*	...
7.	mot	...	mon	...

[o]

[ɔ̃]

* Formes verbales de *avoir, faire, être, aller.*

2 **Quel mot entendez-vous ? Cochez.**

Exemple	ode		onde	✔
1.	monde	...	mode	...
2.	donc	...	dock	...
3.	bombe	...	Bob	...
4.	longe*	...	loge	...
5.	honte	...	haute	...
6.	fonte	...	faute	...
7.	fonce*	...	fausse	...

* Formes verbales de *longer* et *foncer.*

3 **Dans quelle syllabe entendez-vous [ɔ̃] ? Dans la première, la deuxième ou pas du tout ? Cochez.**

		1re syllabe	2e syllabe	Pas du tout
Exemples	*bobo*			✔
	bonbon	✔	✔	
1.	toto	...	...	...
2.	tonton	...	...	...
3.	cocon	...	...	...
4.	cochon	...	...	...
5.	ronchon	...	...	...
6.	bouchon	...	...	...

4 **Soulignez les syllabes où vous entendez [ɔ̃].**

Exemple : communiste – commune – complet – contrôle.

commerce	comprendre	connaître	contrat	inconscient
commerçant	concert	connaissance	commissariat	incontrôlable
compagnon	conduire	continent	correct	inconnu

[o]

[ɔ̃]

Articulation

5 **Formez le masculin de ces mots. Vérifiez votre prononciation.**

Exemple : bonne → bon.

patronne → ....

piétonne → ....

anglo-saxonne → ....

wallonne → ....

lapone → ....

bourguignonne → ....

bretonne → ....

gasconne → ....

6 **Répétez en séparant bien les syllabes, puis plus rapidement.**

[ɔ̃]		[ɔ] + [n]		
vio-lon	→	vio-lo-niste	→	le violon du violoniste
ca-mion	→	ca-mio-nneur	→	le camion du camionneur
mi-llion	→	mi-llio-nnaire	→	les millions du millionnaire
poi-sson	→	poi-sso-nnier	→	les poissons du poissonnier
a-ccor-dé-on	→	a-ccor-dé-o-niste	→	l'accordéon de l'accordéoniste

7 Retrouvez le verbe à l'infinitif et le nom correspondant. Vérifiez votre prononciation.

Exemple :
Tu me **pardonnes** ?   → *pardonner*   → *pardon*

1. Ta chemise est **déboutonnée**.   → ....   → ....

2. Qui, ici, se **nomme** Dupont ?   → ....   → ....

3. Il se **prénomme** Maurice.   → ....   → ....

4. On le **surnomme** Momo.   → ....   → ....

8 Répétez les séries.

[o] – [o]	[ɔ̃] – [ɔ̃]	[o] – [ɔ̃]	[ɔ̃] – [o]
un beau mot	un bon patron	un faux nom	mon vélo
un gros dos	un bon camion	un mot long	mon manteau
un gros veau	un bon plombier	un beau pont	son stylo
un pot d'eau	un bon concert	un gros citron	ton cadeau

Rythme et intonation

[o]

[ɔ̃]

9 Répétez (↓) en allongeant bien la dernière syllabe.

2 syllabes	3 syllabes	4 syllabes	5 syllabes
_ __	_ _ __	_ _ _ __	_ _ _ _ __
action	attention	attestation	administration
fiction	inscription	consultation	alimentation
mention	location	explication	communication
notion	direction	information	décoloration
vision	réception	orientation	décongélation

10 Après une première écoute, reprenez la réponse en même temps que le locuteur.

« Il est beau, mon blouson, non ?
— Très beau, il est très beau, ton blouson. »

« Il est beau son prénom, non ?
— Oui, c'est un beau prénom. »

« Il n'est pas beau ce garçon ?
— Très beau, très, très beau ! »

« Il n'est pas chaud, ce poisson ?
— Non, pas très chaud. »

« Il n'est pas bon, ce melon ?
— Non, pas très bon. »

« Il n'est pas trop long, ce pantalon ?
— Si, beaucoup trop long ! »

11 Répétez en respectant l'intonation proposée.

1. Commençons ! Allons-y, commençons !
2. Oui, on y va… On commence.
3. Bon… nous reprenons donc.
4. Allons-y… Avançons… Continuons…
5. Et bien maintenant, récapitulons…
6. Il faut conclure maintenant. Concluons.

PHONIE-GRAPHIE

- [o] s'écrit « o », « ô », « au », « eau ».

>>> Voir partie II-3, [o] – [ɔ] (page 61). <<<

- [ɔ̃] s'écrit « on »*.

* **Attention !** « n- » devient « m- » devant « -p » ou « -b » (« om ») + *nom, prénom, surnom.*

12 Sélectionnez, dans le chapitre, des mots avec le son [ɔ̃]. Notez-les.

[ɔ̃]	
« on »	« om »
....	....
....	....
....	....

13 Écrivez les mots. Aidez-vous de votre dictionnaire.

Exemples : [ʀɔ̃d] ➞ *ronde.*
[ʀigolo] ➞ *rigolo.*

1. [bɔ̃b] ➞ ....

2. [ɔ̃kl] ➞ ....

3. [kɔ̃ba] ➞ ....

4. [fɔ̃tɛn] ➞ ....

5. [mɔ̃tʀ] ➞ ....

6. [pʀenɔ̃] ➞ ....

7. [batɔ̃] ➞ ....

8. [velo] ➞ ....

9. [gato] ➞ ....

10. [foto] ➞ ....

11. [sof] ➞ ....

12. [sovaʒ] ➞ ....

[o]
[ɔ̃]

Dictée

14 Écoutez et écrivez.

1. ....

2. ....

3. ....

4. ....

5. ....

6. ....

15 Lisez ces textes à voix haute, seul(e) ou à deux.

1. Margot

Là-haut sur son balcon
elle secoue l'édredon
en chantant son prénom.

M. L. Chalaron

2. Aldo

Derrière les barreaux
l'homme pense à Margot.
Il sortira bientôt.

M. L. Chalaron

[o]

[õ]

Les voyelles nasales
[ɛ̃] – [ɑ̃] – [ɔ̃]

[ɛ̃]

[ɑ̃]

[ɔ̃]

DISCRIMINATION

1 Dans quel ordre entendez-vous les mots ?

	1. [ɛ̃]	2. [ɑ̃]	3. [ɔ̃]	
Exemple	*bain*	*banc*	*bon*	*2 – 1 – 3*
1.	bien	dans	mon	....
2.	chien	gens	nom	....
3.	faim	grand	sont*	....
4.	loin	prends*	ton	....
5.	train	vent	long	....

* Formes verbales de *être* et *prendre*.

2 Séparez les syllabes par une barre (/) chaque fois que vous entendez un changement de voyelle.

Exemples : mon mon mon   man man man.   mon mon   min min min   man.

→ [...] [...] [...] / [...] [...] [...]   [...] [...] / [...] [...] [...] / [...]

1. [...] [...] [...] [...] [...] [...]

2. [...] [...] [...] [...] [...] [...]

3. [...] [...] [...] [...] [...] [...]

3 Un des mots de chaque ligne est répété. Lequel ? Soulignez-le.

Exemples : <u>pain</u>   pan   pont   → [pɛ̃].
          teint   <u>temps</u>   ton   → [tɑ̃].

bain	banc	bon		main	ment*	mon
daim	dent	don		lin	lent	long
sein	sans	son		rein	rang	rond
vin	vent	vont*		teint	temps	thon

* Formes verbales de *mentir* et *aller*.

4 Soulignez les mots où vous entendez une voyelle nasale.

Exemple :
Les jours de la semaine → <u>lundi</u>, mardi, mercredi, jeudi, <u>vendredi</u>, samedi, <u>dimanche</u>.

- **Les mois de l'année** → janvier, février, mars, avril, mai, juin, juillet, août, septembre, octobre, novembre, décembre.

- **Les chiffres** → zéro, un, deux, trois, quatre, cinq, six, sept, huit, neuf.

- **Des nombres** → dix, onze, douze, treize, quatorze, quinze, seize, dix-sept… vingt, vingt et un, vingt-deux, vingt-cinq, vingt-huit, vingt-neuf… trente, quarante, cinquante, soixante, soixante-dix, quatre-vingts, quatre-vingt-dix, cent.

➥ **En Suisse et en Belgique, *70, 80* et *90*, se disent :** *septante* (70), *huitante* (80) et *nonante* (90).

[ɛ̃]

[ɑ̃]

[ɔ̃]

5 Notez les numéros de téléphone.
Exemple : 01 75 20 35 51.

1. ....   3. ....

2. ....   4. ....

ARTICULATION

6 Répétez chaque série (→). Prononcez toujours la voyelle de la même façon, dans toutes les positions.

1. [ɛ̃]

CV*	CVC*	CVCV*
lin	linge	lingerie
thym	teinte	teinture
main	mince	mincir
pin	peinte	peinture
rein	rince	rincer
grain	grince	grincer

2. [ɑ̃]

CV*	CVC*	CVCV*
ment	menthe	mentir
lent	lente	lentement
banc	banque	banquier
dans	danse	danseur
temps	tente	tenter
quand	campe	camper

* C : consonne – V : voyelle.

3. [õ]

CV*	CVC*	CVCV*
ton	tombe	tomber
rond	ronde	rondeur
pont	ponte	pompier
sont	sonde	sondage
long	longue	longueur
font	fonce	foncé

* C : consonne – V : voyelle.

7 **Prononcez ces dates et ces nombres, puis vérifiez votre prononciation.**

• **Des dates :** le 25 décembre, le 1er janvier, le 21 juin, le 15 août, le 11 septembre, le 1er novembre.

• **Des nombres :** 15, 31, 45, 61, 100, 500, 505, 555.

8 **Lisez (→), puis vérifiez votre prononciation.**

C'est tonton.	C'est tentant.	C'est Tintin.
un bonbon	un bon banc	un bon bain
un beau thon	un beau temps	un beau teint

VARIATION : répétez les phrases et les mots (↓).

[ɛ̃]

[ɑ̃]

RYTHME ET INTONATION

[õ]

9 **Répétez les mots. Notez le nombre de syllabes.**

Santé, soins médicaux

	[ɛ̃]	Syllabes	[ɑ̃]	Syllabes
Exemples	*un médecin*	*3*	*un médicament*	*5*
	un chirurgien	...	un accident	...
	un pharmacien	...	les Urgences	...
	un vaccin	...	une prise de sang	...
	un examen médical	...	un remboursement	...
	des soins	...	une assurance	...
	un infirmier	...	une ambulance	...
	une infirmière	...	un dentiste	...
	une infirmerie	...	un rendez-vous	...

	[õ]	Syllabes
Exemple	*une prescription*	*4*
	une opération	...
	une consultation	...
	les pompiers	...

10 Répétez (→). Respectez le rythme syllabique et les liaisons.

2 syllabes	3 syllabes	5 syllabes ou 6 syllabes	
– attendre	– On attend.	– On attend quelqu'un.	*(5 syllabes)*
– éteindre	– On éteint.	– On éteint la lampe.	*(5 syllabes)*
– repeindre	– On repeint.	– On repeint la chambre.	*(5 syllabes)*
– entendre	– On entend.	– On entend un violon.	*(6 syllabes)*
– comprendre	– On comprend.	– On comprend la question.	*(6 syllabes)*
– répondre	– On répond.	– On répond à ton oncle.	*(6 syllabes)*

11 Après une première écoute, répétez les dialogues.

« On rentre ?
— Rentrons. »

« On attend ?
— D'accord, attendons. »

« On commence ?
— Entendu, commençons. »

« On avance ?
— Oui, avançons. »

« On commande ?
— Oui, oui, commandons. »

« On mange ?
— Bien sûr, mangeons. »

12 Répétez. Allongez et accentuez la dernière syllabe.

Exemple :

           →   ↘
           Quelqu'un.

     →   ↗   →   ↘
     Tout le temps quelqu'un.

  →   →   →   →   ↗   →   ↘
  On attend tout le temps quelqu'un.

$[\tilde{\varepsilon}]$

$[\tilde{\alpha}]$

$[\tilde{\mathrm{o}}]$

1.   Des lapins.
Il y a des lapins.
Au mois de juin, il y a des lapins.
Dans les jardins, au mois de juin , il y a des lapins.
Le matin, dans les jardins, au mois de juin, il y a des lapins.

2.   Son invitation.
À son invitation.
Dire non à son invitation.
Pas question de dire non à son invitation.
Non ! Pas question de dire non à son invitation.

13 Entraînez-vous à poser ces questions, série par série.

1. Quel est votre nom ?
Quel est votre prénom ?
Quelle est votre profession ?
Quelle est votre situation de famille ?
Quelles sont vos distractions ?
Quelle est votre boisson du matin ?

2. Tu bois du vin ?
Tu aimes les parfums ?
Tu aimes le mois de juin ?
Tu connais tes voisins ?
Tu es musicien ?
Tu préfères les douches ou les bains ?

3. Vous vous appelez comment ?
Vous aimez les enfants ?
Vous pleurez souvent ?
Vous aimez les croissants ?
Vous avez des cheveux blancs ?
Vous dansez souvent ?
Vous avez peur des serpents ?

14 **Répétez. Respectez le schéma mélodique proposée et les pauses.**

Exemple :

→ → ↘   → → → ↗   → → ↘

Ton client, / il est content, / oui ou non ?

– Son copain, il est compétent, oui ou non ?
– Ton cousin, il est amusant, oui ou non ?
– Son vin, il est bon, oui ou non ?
– Mon argent, tu le prends, oui ou non ?

[ɛ̃]

[ã]

[ɔ̃]

15 **Après une première écoute, reprenez les réponses.**

1. Nom : LE DOYEN
Prénom : Bastien
Lieu de naissance : Amiens
Profession : opticien
Adresse : 15, chemin du Moulin à Amiens

2. Nom : MARCHAND
Prénom : Armand
Lieu de naissance : Rouen
Profession : artisan
Adresse : 30 bis, place de la Résistance à Caen

3. Nom : MARRON
Prénom : Léon
Lieu de naissance : Lyon
Profession : maçon
Adresse : 11, rue des Vignerons à Mâcon

Variation : Lisez les fiches à deux, comme un dialogue.

16 **Après une première écoute, répétez le texte en même temps que le locuteur.**

Vous connaissez Champion ? // Champion, / c'est le nom / de mon chien, / un grand chien / à poils blancs, / un grand chien / pas méchant. // C'est un vieux chien, / maintenant : // il a bientôt quinze ans, / il ne sent pas très bon, / il dort presque tout le temps, / il n'entend plus très bien. // Mais nous, / nous l'aimons bien. //

PHONIE-GRAPHIE

17 Sélectionnez, dans le chapitre, des mots avec les sons [ɛ̃], [ɑ̃], [ɔ̃].

[ɛ̃]			
« in », « im », « yn », « ym »	« ain »	« ein »	« un »
....	....	....	....
....	....	....	....
....	....	....	....

[ɑ̃]		[ɔ̃]
« an », « am »	« en », « em »	« on », « om »
....	....	....
....	....	....
....	....	....

18 Écrivez les mots suivants. Aidez-vous de votre dictionnaire.

Exemples : [ʀɑ̃kɔ̃tʀ] → *rencontre.*
        [ɑ̃fɑ̃] → *enfant.*

1. [ʃɑ̃sɔ̃]   → ....
2. [pɑ̃talɔ̃]   → ....
3. [lɔ̃tɑ̃]   → ....
4. [ɛ̃vɑ̃te]   → ....
5. [kɔ̃pʀɑ̃dʀ] → ....
6. [ɛ̃pɔʀtɑ̃] → ....
7. [kɔ̃tɑ̃]   → ....
8. [ɑ̃sjɛ̃]   → ....
9. [ɑ̃sɑ̃bl] → ....
10. [kɔ̃bjɛ̃] → ....
11. [ɑ̃tɑ̃dʀ] → ....
12. [ɛ̃teliʒɑ̃] → ....

[ɛ̃]

[ɑ̃]

[ɔ̃]

Dictée

19 Écoutez et écrivez.

1. ....
2. ....
3. ....
4. ....
5. ....
6. ....

INTERPRÉTATION

20 Lisez les dialogues à voix haute, seul(e) ou à deux. Ensuite, écoutez-les.

1. « Quel beau temps !
— C'est le printemps !
— Et c'est dimanche !
— Un beau dimanche de printemps !
— Quelle chance ! »

M. L. Chalaron

2. « Tu t'en vas ?
— Je m'en vais.
— Tu reviens quand ?
— Ne m'attends pas.
— Mais tu reviens ?
— Mais oui, je reviens.
— Tu reviens quand ?
— Demain.
— Seulement demain ?
— Seulement demain. »

M. L. Chalaron

[ɛ̃]

[ɑ̃]

[ɔ̃]

3. « Tu entends ?
— Non.
— Tu n'entends pas ?
— Non.
— Tu n'entends pas ?
— Non. Qu'est-ce que tu entends ?
— Un ronflement… Et tu ne sens rien ?
— Non. Qu'est-ce que tu sens ?
— Comme un parfum.
— Je ne sens rien, je n'entends rien. C'est peut-être le vent ?
— Le vent ne sent rien.
— Là, tu as raison.
— Bon, qu'est-ce qu'on fait ?
— Réfléchissons. »

M. L. Chalaron

4. « Quel imbécile !
Quel abruti !
Tirer sur son chien !
Dans son jardin !
C'est pas très malin !
C'est pas du tout malin !
Quel crétin ! »

M. L. Chalaron

VARIATIONS POSSIBLES : voix parlée, chantée, murmurée… Monologue (1 et 4), dialogue (2 et 3), à plusieurs voix (1 et 4)… débit lent, rapide… humeur positive ou négative.

Partie III

Les consonnes

1 Les consonnes occlusives [p] – [b]

DESCRIPTION

[p]
[b]

[p]

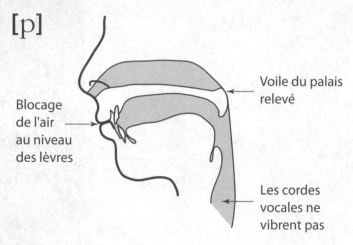

Blocage de l'air au niveau des lèvres

Voile du palais relevé

Les cordes vocales ne vibrent pas

[b]

Blocage de l'air au niveau des lèvres

Voile du palais relevé

Les cordes vocales vibrent

SENSIBILISATION

PLACE aux HERBES

RUE de la RÉPUBLIQUE

DISCRIMINATION

1 Dans quel ordre entendez-vous ces suites de sons ? Notez-le.

	À l'initiale		À l'intervocalique		En finale	
Exemples	*pa ba*	*2 – 1*	*apa aba*	*1 – 2*	*pap bab*	*2 – 1*
1.	pi bi	....	ipi ibi	....	pip bib	....
2.	pou bou	....	oupou oubou	....	poup boub	....
3.	pan ban	....	anpan anban	....	panp banb	....

2 Qu'entendez-vous ? Cochez.

Exemple	*pas*		*bas*	✔
1.	pou	...	bout	...
2.	pont	...	bon	...
3.	peau	...	beau	...
4.	pelle	...	belle	...
5.	Il a pu.	...	Il a bu.	...
6.	Prends un pain.	...	Prends un bain.	...
7.	Les parcs sont jolis.	...	Les barques sont jolies.	...
8.	Il faut te peigner.	...	Il faut te baigner.	...

3 Quelles suites de sons entendez-vous ? Cochez.

	[p] – [p]	[p] – [b]	[b] – [p]	[b] – [b]
Exemple *un petit pot*	✔			
1.	...	...	...	...
2.	...	...	...	...
3.	...	...	...	...
4.	...	...	...	...
5.	...	...	...	...
6.	...	...	...	...
7.	...	...	...	...
8.	...	...	...	...

[p]
[b]

ARTICULATION

4 Répétez les impératifs de ces verbes.

• Partir → Pars ! Partons ! Partez !
• Se préparer → Prépare-toi ! Préparons-nous ! Préparez-vous !
• Boire → Bois ! Buvons ! Buvez !
• Se baigner → Baigne-toi ! Baignons-nous ! Baignez-vous !

5 Formez des phrases en ajoutant *beaucoup* et *peu*, puis vérifiez vos réponses et votre prononciation.

*Exemple : Marcher et courir → Je marche **beaucoup** et je cours **peu**.*

Manger et boire → Il ....

Travailler et se reposer → Elle ....

Lire et écrire → Vous ....

Écouter et parler → Ils ....

Jouer et gagner → Elles ....

6 Lisez ces annonces à voix haute. Vérifiez votre prononciation.

1. Propose place pour Paris.
Départ vendredi.
Participation aux frais.

3. Vends PC portable.
Prix à débattre.
Écrire chambre B 12.

2. Cherche partenaire pour ping-pong.
1 à 2 fois par semaine.
b.bapin@sport.fr

4. Cours particuliers.
Piano pour débutants.
paul@bonpleyel.fr

[p]

[b]

7 Répétez ces phrases qu'on utilise au téléphone.

– Qui est à l'appareil ?
– Tu peux répondre ?
– C'est de la part de qui ?
– Vous pouvez rappeler plus tard ?

– Veuillez patienter, c'est occupé.
– Je vous passe mon père… Je te passe Paul…
– Je voudrais parler au responsable de…
– Le docteur Bobo… s'il vous plaît.

8 Lisez ces phrases. Attention à l'enchaînement consonantique dans la deuxième phrase. Notez-le avec le signe ‿ . Vérifiez votre prononciation.

Exemples :   Tu vois ce type. Ce type‿est bizarre.
Mets la nappe. La nappe‿avec des fleurs.

• Sers la soupe. La soupe est prête.
• J'ai mal à la jambe. Ma jambe est enflée.
• Où est le groupe ? Le groupe est déjà parti.
• Je vais au club. Le club est ouvert.
• J'aime cette robe. Cette robe est belle.

RYTHME ET INTONATION

9 Répétez. Respectez l'intonation.

→   ↗   → →   →   →

Exemple : Ça presse ou ça ne presse pas ?

• Ça te plaît ou ça ne te plaît pas ?
• Ça coupe ou ça ne coupe pas ?
• Ça pique ou ça ne pique pas ?

• Ça bout ou ça ne bout pas ?
• Ça brille ou ça ne brille pas ?
• Ça brûle ou ça ne brûle pas ?

10 Répétez. Respectez l'intonation expressive.

- C'est bien, c'est très bien !
- C'est beau, c'est vraiment beau !
- C'est blanc, c'est trop blanc !
- C'est bête, c'est vraiment très bête !
- C'est agréable, c'est tout à fait agréable !

- C'est petit, c'est tout petit !
- C'est parfait, c'est tout à fait parfait !
- C'est plein, c'est trop plein !
- C'est plat, c'est vraiment plat !
- C'est simple, c'est très simple !

11 Reprenez avec les intonations proposées.

- Bonjour, Grand-père.
- Bonsoir, Papa.
- Bonne nuit, mon bébé.
- Bonnes vacances, mon lapin !

- Bon anniversaire, ma puce !
- Bon week-end, ma belle !
- Bonne année, ma bichette !
- Bon rétablissement, Papy !

12 Répétez ces conseils.

- Pour être un bon professeur, il faut de la patience.
- Pour être un bon boulanger, il faut se lever de bonne heure.
- Pour être un bon politicien, il faut beaucoup parler et promettre.
- Pour être un bon pompier, il faut être sportif.
- Pour être un bon banquier, il faut avoir le sens des responsabilités.

[p]
[b]

13 Répétez ces phrases en marquant les groupes rythmiques.

1. À la boulangerie, / on peut acheter / des baguettes de pain, / des brioches…
2. Au bureau de tabac, / on peut acheter / des timbres, / des enveloppes…
3. À la librairie, / on peut acheter / des livres de poche, / des encyclopédies…
4. Au supermarché, / on peut acheter / des bouteilles d'eau, / des produits bio…
5. Au pressing, / on peut faire nettoyer / des pantalons, / des blousons…

14 Répétez ces courts dialogues avec les intonations proposées.

↘   →   → →   →   →   → ↘
Exemple : « Pourquoi partez-vous ? — Parce qu'il pleut. »

1. « Pourquoi apprenez-vous le français ?
   — Par plaisir. »

2. « Pourquoi voulez-vous être pompier ?
   — Parce que c'est un beau métier. »

3. « Pourquoi prenez-vous un taxi ?
   — Parce que j'ai raté le bus. »

4. « Pourquoi vous ne buvez pas de bière ?
   — Parce que je ne bois pas d'alcool ! »

5. « Pourquoi le bébé pleure ?
   — Parce qu'il a perdu sa peluche. »

6. « Pourquoi vous ne parlez pas ?
   — Parce que je ne suis pas bavard. »

15 Après une première écoute, reprenez une fois lentement, puis une fois plus rapidement.

La France est connue, / partout dans le monde, / pour ses vins, / le beaujolais / et le bourgogne, / mais surtout le champagne. // La France produit aussi / plus de 300 sortes de fromages : / le brie, / le beaufort, / le camembert, / le bleu de Bresse… // Un repas français / n'est pas complet / sans fromage / et sans vin. //

16 Allongez les slogans. Respectez les groupes rythmiques et l'allongement de la dernière syllabe.

1. Pour une planète plus belle !
   Pour une planète plus belle, plus propre !
   Pour une planète plus belle, plus propre, plus bleue !

2. Bientôt un portable plus beau !
   Bientôt un portable plus beau, plus pratique !
   Bientôt un portable plus beau, plus pratique, plus performant !

3. Pour une banlieue plus propre.
   Pour une banlieue plus propre, moins bruyante !
   Pour une banlieue plus propre, moins bruyante et moins polluée !

PHONIE-GRAPHIE

[p]
[b]

• [p] s'écrit « p » ou « pp ».
En finale de mots, en général, le « p » ne se prononce pas :
– *beaucoup* ([boku]), *trop* ([tʀo]), *le coup* ([ku]), *le camp* ([kɑ̃]), *le drap* ([dʀa])…
Il se prononce dans quelques mots :
– *le cap* ([kap]), *le cep* ([sɛp]), *le handicap* ([ɑ̃dikap]), et les interjections *hep !* ([ɛp]),
hop ! ([ɔp]), *stop !* ([stɔp]).
• [b] s'écrit « b », rarement « bb ».

17 Sélectionnez, dans le chapitre, des mots avec les sons [p] et [b]. Notez-les.

[p]		[b]
« p »	« pp »	« b »
....	....	....
....	....	....
....	....	....

18 Écrivez les mots suivants. Aidez-vous de votre dictionnaire.

Exemples : [pløvwaʀ] ➜ *pleuvoir.* [bɔ̃bɔ̃] ➜ *bonbon.*

1. [bagɛt] ➜ ....
2. [paʀaplɥi] ➜ ....
3. [pʀɔnɔ̃sjasjɔ̃] ➜ ....
4. [kapabl] ➜ ....
5. [pʀopʀijetɛʀ] ➜ ....
6. [bʀœtaɲ] ➜ ....
7. [depaʀ] ➜ ....
8. [bɑ̃ljø] ➜ ....
9. [bibliɔtɛk] ➜ ....
10. [puʀkwa] ➜ ....
11. [bɔnœʀ] ➜ ....
12. [pyblik] ➜ ....

Dictée

19 Écoutez et écrivez.

1. ....

2. ....

3. ....

4. ....

5. ....

6. ....

INTERPRÉTATION

20 Lisez ce dialogue à voix haute, puis écoutez-le (version lente, puis rapide).

« Le pâtissier est parti.
— Le pâtissier est parti ?
— Parti !… disparu… avec le passeport de Papa.
— Avec le passeport de Papa ?
— Avec le passeport de Papa.
— Pourquoi il est parti ?
— On ne sait pas.
— Et pourquoi avec le passeport de Papa ?
— Personne ne sait.
— Et la pâtissière ? Elle est partie, la pâtissière ?
— Non, elle n'est pas partie, la pâtissière.
— Elle pleure ?
— Oui, dans les bras d'un pompier.
— Du pompier polonais ?
— Oui.
— Ah ! Voilà pourquoi il est parti le pâtissier.
— Peut-être, mais pourquoi avec le passeport de Papa ? »

M. L. Chalaron

[p]
[b]

Les consonnes occlusives
[b] – [v]

DESCRIPTION

[b]

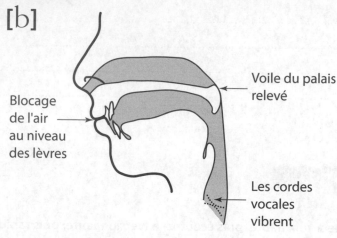

Blocage
de l'air
au niveau
des lèvres

Voile du palais
relevé

Les cordes
vocales
vibrent

[v]

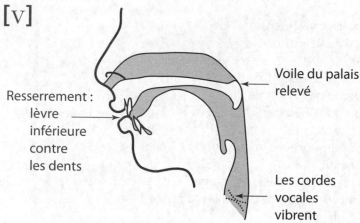

Resserrement :
lèvre
inférieure
contre
les dents

Voile du palais
relevé

Les cordes
vocales
vibrent

SENSIBILISATION

BOULEVARD BÉRANGER

RUE VAUBAN

DISCRIMINATION

1 Séparez les mots par une barre (/) chaque fois que vous entendez un changement de consonne.

Exemple : *boire boire boire   voir   voir   boire   voir.*

[...] [...] [...] / [...] [...] / [...] / [...]

1. [...] [...] [...] [...] [...] [...] [...]

2. [...] [...] [...] [...] [...] [...] [...]

3. [...] [...] [...] [...] [...] [...] [...]

4. [...] [...] [...] [...] [...] [...] [...]

2 Qu'entendez-vous ? Cochez.

Exemple	le ballon	✔	le vallon	
1.	la bile	...	la ville	...
2.	l'abeille	...	la veille	...
3.	la balle	...	l'aval	...
4.	le banc	...	le vent	...
5.	le bain	...	le vin	...
6.	le bout	...	le vous	...
7.	Il boit.	...	Il voit.	...
8.	Elle a bu.	...	Elle a vu.	...

[b]
[v]

ARTICULATION

3 Reproduisez les sons. Voir les dessins, page 108.

1. babababa   vvvvvaaaaaa   vvvaa   va   baba
2. bobobobo   vvvvvooooo   vvvvvooo   vo   bobo
3. bébébébé   vvvvvééé   vvvéé   vé   bébé
4. bibibibibi   vvvviiii   vvvviii   vi   bibi
5. vanvanvanvan   vvvvvan   vvvan   van   banban

4 Répétez (↓).

[v] – [v]	[b] – [b]	[b] – [v]	[v] – [b]
une vieille valise	un beau bébé	un beau village	un visage bronzé
un vieux village	un bon bifteck	une belle voiture	un voisin bruyant
des volets verts	un blouson bleu	un beau voyage	un vêtement brun
un vent violent	du sable blanc	une bouteille vide	du vin blanc

5 **Formez les adjectifs, puis répétez.**

Exemples : varier → variable. boire → buvable.

- vérifier → ....
- laver → ....
- observer → ....

- casser → ....
- vivre → ....
- manger → ....

RYTHME ET INTONATION

6 **Répétez. Accentuez et allongez un peu la dernière syllabe.**

Exemple : bientôt

revient bientôt

Bob revient bientôt.

[b]

[v]

1.
bien
très bien
va très bien
Basile va très bien.
Basile va vraiment très bien.

2.
beaucoup
voyage beaucoup
Brigitte voyage beaucoup.
Brigitte voyage vraiment beaucoup.

3.
vite
très vite
boit très vite
Valentine boit très vite.
Valentine boit vraiment très vite.

4.
beaucoup
vraiment beaucoup
bave vraiment beaucoup
Ce beau bébé bave vraiment beaucoup.

7 **Répétez en respectant les groupes rythmiques.**

Exemples : Vous_avez oublié / votre vélo / devant le bar.
Vous_avez oublié / votre portable / dans ma valise.

1. Vous avez oublié votre veste au vestiaire.
2. Vous avez oublié vos livres à la bibliothèque.
3. Vous avez oublié le biberon dans le berceau.
4. Vous avez oublié votre bébé dans la voiture.
5. Vous avez oublié le blessé dans l'ambulance.

8 **Répétez ces courts dialogues avec les intonations proposées.**

« Votre billet n'est pas valable.
— Comment, pas valable ? »

« Cette visite est inoubliable.
— Inoubliable, c'est vrai. »

« Cette ville est invivable.
— Invivable, non… pas vraiment invivable. »

« Cette boisson est imbuvable.
— Pas très bonne, c'est vrai, mais pas imbuvable. »

9 Après une première écoute, reprenez le dialogue en marquant les pauses et les hésitations.

« Je voudrais d'abord… euh… du jambon, beaucoup de jambon, du bon jambon blanc et beaucoup de beurre, du bon beurre, du vrai beurre… et puis… de la viande de bœuf… un bifteck… bien cuit…
— Et pour finir ?…
— Eh bien, pour finir… un baba, un beau baba bien imbibé de bon rhum… Voilà… et une bonne bouteille de vin vieux… Et toi, qu'est-ce que tu vas prendre ?
— Des légumes verts et un verre d'eau. »

10 Imitez !

Bravo ! Bravo ! Bravo !
Au revoir… Au revoir…
À bientôt ! À bientôt !
Au revoir… À bientôt.

PHONIE-GRAPHIE

[b]
[v]

- [b] s'écrit « b », rarement « bb ».
- [v] s'écrit « v ».

11 Sélectionnez, dans le chapitre, des mots avec les sons [b] et [v]. Notez-les.

[b] → « b »	[v] → « v »
....	....
....	....
....	....

12 Écrivez les mots suivants. Aidez-vous de votre dictionnaire.

Exemples : [vokabylɛʀ] → *vocabulaire.*
[vivʀ] → *vivre.*

1. [bavaʀde] → ....
2. [byvœʀ] → ....
3. [bʀijɛvmɑ̃] → ....
4. [vagabɔ̃] → ....
5. [vibʀasjɔ̃] → ....
6. [veʀitabl] → ....
7. [epʀuve] → ....
8. [ʀɑ̃devu] → ....
9. [pyblisite] → ....
10. [vʀɛmɑ̃] → ....
11. [abʀevjasjɔ̃] → ....
12. [senɛʀve] → ....

Dictée

13 Écoutez et écrivez.

1. ....

2. ....

3. ....

4. ....

5. ....

6. ....

INTERPRÉTATION

14 Lisez ce dialogue à voix haute, seul(e) ou à deux. Ensuite, écoutez-le.

[b]
[v]

VALENTIN. Barnabé !
BARNABÉ. Oui.
VALENTIN. Vous avez vu ?
BARNABÉ. Quoi donc ?
VALENTIN. Ma nouvelle veste…
BARNABÉ. Elle vous va bien, Valentin.
VALENTIN. Et le vert de ma veste, comment le trouvez-vous ?
BARNABÉ. C'est un beau vert.
VALENTIN. Vraiment ?
BARNABÉ. Un bien beau vert, en vérité.
VALENTIN. J'aime bien le vert.
BARNABÉ. Moi, c'est le bleu. J'aime bien le bleu… Vous avez vu Valentin ?
VALENTIN. Quoi donc ?
BARNABÉ. Mon nouveau blouson bleu, comment le trouvez-vous ?
VALENTIN. Très beau blouson.
BARNABÉ. Et le bleu du blouson, comment le trouvez-vous ?
VALENTIN. Un très beau bleu, qui vous va bien.
BARNABÉ *et* VALENTIN, *ensemble*. Bien ! Très bien !

M. L. Chalaron

VARIATION : remplacez *Valentin* et *Barnabé* par d'autres noms ou prénoms (*Violette, Bérénice, Mademoiselle Biche, Madame Voile, Monsieur Barbet, Monsieur Bavard,* etc.).

Les consonnes occlusives
[p] – [f]

[p]

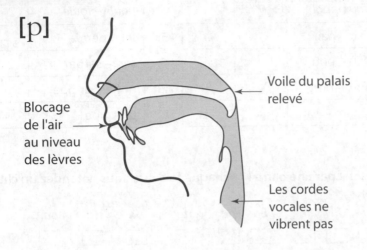

Voile du palais relevé

Blocage de l'air au niveau des lèvres

Les cordes vocales ne vibrent pas

[f]

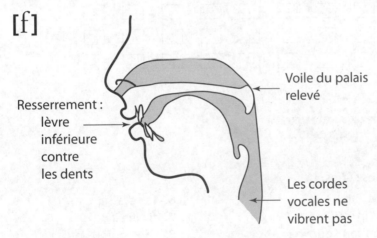

Voile du palais relevé

Resserrement : lèvre inférieure contre les dents

Les cordes vocales ne vibrent pas

[p]

[f]

SENSIBILISATION

Place Foire Le Roi

PLACE PHILIPPEVILLE

DISCRIMINATION

1 Quelles suites de sons entendez-vous ? Cochez.

		[f] – [p]	[p] – [f]
Exemples	*faux – pot*	✔	
1.	fait – paix	...	...
2.	fou – pou	...	...
3.	fort – port	...	...
4.	phare – part	...	...

		[f] – [p]	[p] – [f]
	poule – foule		✔
5.	fer – père	...	...
6.	serf – serpe	...	...
7.	griffe – grippe	...	...
8.	tif – pipe	...	...

2 Séparez les sons par une barre (/) chaque fois que vous entendez un changement de consonne.

Exemple : *fa fa fa   pa pa   fa   pa   fa pa.*

... | ... | ... | / | ... | ... | / | ... | / | ... | / | ... | / | ...

1. ... | ... | ... | ... | ... | ... | ... | ... | ...

2. ... | ... | ... | ... | ... | ... | ... | ... | ...

3. ... | ... | ... | ... | ... | ... | ... | ... | ...

[p]
[f]

ARTICULATION

3 Répétez les séries.

1. pa apa ap
2. pi ipi ip
3. pou oupou oup
4. pan anpan anp
5. pu upu up

6. fa afa af
7. fi ifi if
8. fou oufou ouf
9. fan anfan anf
10. fu ufu uf

4 Répétez. Attention aux enchaînements : faites passer le [f] ou le [p] dans la syllabe suivante.

[f]
L'étoffe est fragile.
La carafe est fêlée.
Le chef est africain.

un philosophe allemand
un sportif émotif
un œuf au plat

[p]
La coupe est petite.
Le groupe est parti.
La lampe est allumée.

un type adorable
une nappe en papier
un groupe important

114

5 Répétez (↓).

[p] – [p]
un palais privé
mon plat préféré
une plage polluée
un procès public

[p] – [f]
une porte fermée
un petit feu
un plat froid
du pain frais

[f] – [f]
une femme forte
une fleur fanée
la fin du film
une photo floue

[f] – [p]
une forêt de pins
une fillette polie
une fumée épaisse
une fête populaire

VARIATION : prononcez ces suites horizontalement.

6 Lisez une première fois seul(e), à voix haute, puis reprenez avec le locuteur.

1. C'est fou, c'est fort, c'est faux, c'est frais.
2. C'est peu, c'est plein, c'est prêt, c'est propre.
3. C'est fini, c'est facile, c'est froid, c'est flou.
4. C'est payé, c'est petit, c'est privé, c'est prudent.
5. C'est parfait !

[p]
[f]

7 Répétez ces groupes consonantiques (↓).

[fl]	[pl]	[fʀ]	[pʀ]
une fleur	les pleurs	le fric*	le prix
une flamme	les plantes	le froid	la presse
un flic*	la plage	le front	le prénom
une flaque	la place	la frange	le problème

* Français familier : un flic = un policier ; le fric = l'argent.

RYTHME ET INTONATION

8 Barrez les « e » non prononcés, puis répétez les phrases.

Exemples : Nǝ portǝ paȿ ça, ça va tǝ fatiguer !
            Nǝ touchǝ paȿ ça, ça va tǝ brûler !

1. Ne perds pas ça, c'est important.
2. Ne photographie pas ça, c'est affreux.
3. Ne fume pas ça, ça va te faire du mal.
4. Ne fais pas ça, ça va te faire pleurer.

9 **Répétez en reprenant les intonations.**

1. J'ai presque fini, je n'ai pas tout à fait fini !
2. Il ne fait pas très chaud, il fait presque frais !
3. Le film est presque fini, c'est presque la fin !
4. Votre passeport est presque périmé, vous ne pourrez pas partir !
5. Ma voiture ne freine presque plus, il faut la faire réparer.
6. Il ne pleut presque pas, pas besoin de parapluie !

10 **Répétez ces propositions.**

1. Finalement… si on faisait une petite pause ?
2. Finalement… si on finissait plus tôt ?
3. Finalement… si on prenait un café ?
4. Si on passait plutôt par là, finalement ?
5. Si on affichait le plan, finalement ?
6. Si on le plaçait dans le fond, finalement… non… ?

PHONIE-GRAPHIE

[p]
[f]

- [p] s'écrit « p » ou « pp ».
- [f] s'écrit « f », « ff » ou « ph ».

11 **Sélectionnez, dans le chapitre, des mots avec les sons [p] et [f]. Notez-les.**

[p]		[f]		
« p »	« pp »	« f »	« ff »	« ph »
....	....	....	....	....
....	....	....	....	....
....	....	....	....	....

12 **Écrivez les mots suivants. Aidez-vous de votre dictionnaire.**

Exemples : [faʀmasi] → *pharmacie.*
[pʀɔfesjɔ̃] → *profession.*

1. [paʀfymʀi] → ....
2. [pʀɔfite] → ....
3. [pʀɔgʀesif] → ....
4. [apaʀɛjfoto] → ....
5. [pʀefeʀe] → ....
6. [pasifist] → ....

7. [planisfɛʀ] → ....
8. [pətifis] → ....
9. [paʀfɛt] → ....
10. [sypɛʀfisjɛl] → ....
11. [filozofi] → ....
12. [pozitif] → ....

Dictée

13 **Écoutez et écrivez.**

1. ....

2. ....

3. ....

4. ....

5. ....

6. ....

INTERPRÉTATION

14 **Lisez ce texte à voix haute, puis écoutez-le.**

« Au feu ! » crie le pompier.
« Papiers ! » crie l'policier.
« Pas fait ? » crie l'professeur.
« Mon foin ! » crie le fermier.
« La porte ! » crie le portier.
« Pas d'pot ! » crie le potier.
« Du fric ! » crie l'kidnappeur.

« La paix ! » prie le pasteur.

M. L. Chalaron

[p]
[f]

Les consonnes occlusives
[t] – [d]

DESCRIPTION

[t]

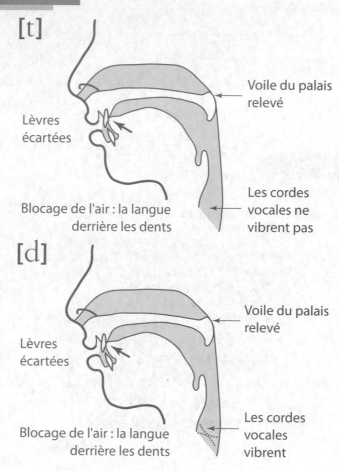

Voile du palais relevé

Lèvres écartées

Les cordes vocales ne vibrent pas

Blocage de l'air : la langue derrière les dents

[d]

Lèvres écartées

Voile du palais relevé

Blocage de l'air : la langue derrière les dents

Les cordes vocales vibrent

SENSIBILISATION

RUE DANTON

RUE du TROCADÉRO

118

DISCRIMINATION

1 Cochez le mot ou la phrase entendu.

Exemple	*tout*		*doux*	✔
1.	ton	...	don	...
2.	tort	...	dort	...
3.	vite	...	vide	...
4.	Tu étais.	...	Tu aidais.	...
5.	Tutoie.	...	Tu dois.	...
6.	Il a pu.	...	Il a bu.	...
7.	Quelle tête !	...	Quelle dette !	...
8.	Où est le thé ?	...	Où est le dé ?	...

2 Quelle suite de sons entendez-vous ? Cochez.

		[t] – [t]	[t] – [d]	[d] – [t]	[d] – [d]
Exemple	tout droit		✔		
	1.	...	...	...	...
	2.	...	...	...	...
	3.	...	...	...	...
	4.	...	...	...	...
	5.	...	...	...	...
	6.	...	...	...	...

[t]

[d]

3 Dans quel ordre entendez-vous les deux prononciations ?
Répondez par « 1 » (avec liaison) ou « 2 » (sans liaison).

Exemples :
Ils sont ici.　　　　　　[ilsɔ̃tisi]　　　　　　[ilsɔ̃isi]　　　　➡ 1 – 2.
Ils vont avoir un bébé.　[ilvɔ̃tavwaʁɛ̃bebe]　[ilvɔ̃avwaʁɛ̃bebe]　➡ 2 – 1.

1. C'est encore occupé.　➡ [sɛtɑ̃kɔʁokype]　[sɛɑ̃kɔʁokype]　➡ ....

2. Il veut entrer.　➡ [ilvøtɑ̃tʁe]　[ilvøɑ̃tʁe]　➡ ....

3. Ça peut arriver.　➡ [sapøtaʁive]　[sapøaʁive]　➡ ....

4. Elle est arrivée.　➡ [ɛlɛtaʁive]　[ɛlɛaʁive]　➡ ....

5. Ils sont à l'heure.　➡ [ilsɔ̃taloer]　[ilsɔ̃aloer]　➡ ....

6. Ils ont envie de partir.　➡ [ilzɔ̃tɑ̃vidpaʁtiʁ]　[ilzɔ̃ɑ̃vidpaʁtiʁ]　➡ ....

↪ **Les phrases sans liaison sont plus familières.**

4 **Entendez-vous le singulier ou le pluriel ? Cochez.**

		Singulier	Pluriel
Exemples	*Ils entendent.*		✔
	1.	...	...
	2.	...	...
	3.	...	...

	Singulier	Pluriel
Elle part.	✔	
4.	...	...
5.	...	...
6.	...	...

ARTICULATION

5 **Répétez les verbes.**

	Présent	**Impératif**
• Se taire	→ Tu te tais.	→ Tais-toi !
• Se tourner	→ Tu te tournes.	→ Tourne-toi !
• Se doucher	→ Tu te douches.	→ Douche-toi !
• Se tromper	→ Tu te trompes.	→ Ne te trompe pas !
• Se déplacer	→ Tu te déplaces.	→ Ne te déplace pas !
• Se dépêcher	→ Tu te dépêches.	→ Ne te dépêche pas !

[t]
[d]

6 **Répétez. Marquez bien l'explosion de la consonne « t » ou « d » à la fin des mots au féminin.**

– Il est content. → Elle est contente.
– Il est patient. → Elle est patiente.
– Il est discret. → Elle est discrète.
– Il est méchant. → Elle est méchante.
– Il est fort. → Elle est forte.

– Il est rond. → Elle est ronde.
– Il est blond. → Elle est blonde.
– Il est costaud. → Elle est costaude.
– Il est grand. → Elle est grande.
– Il est lourd. → Elle est lourde.

↳ **Le « t » et le « d » en finale des adjectifs au masculin ne se prononcent pas.**

7 **Répétez les verbes.**

« Dé- » + consonne → [de]
faire et défaire
placer et déplacer
serrer et desserrer
emménager et déménager
attacher et détacher

« Dés- » + voyelle → [dez]
organiser et désorganiser
espérer et désespérer
accorder et désaccorder
approuver et désapprouver
s'abonner et se désabonner

8 **Répétez l'adjectif et le nom (↓).**

– bon → la bonté
– beau → la beauté
– vrai → la vérité
– sain → la santé

– gratuit → la gratuité
– méchant → la méchanceté
– égal → l'égalité
– libre → la liberté

9 **Répétez et découpez bien les syllabes.**

Exemple : une petite annonce [yn-pə-ti-ta-nɔ̃s].

- un poste important
- une lettre officielle
- une cliente énervée
- une cravate en soie

- un monde industriel
- un stade olympique
- un malade imaginaire
- une balade en bateau

10 **Observez et répétez.**

Liaison [t]

C'est un grand acteur.
C'est un grand artiste.
C'est un grand auteur.
C'est un grand économiste.
C'est un grand avocat.

Liaison [t] **et enchaînement** [d]

C'est une grande actrice.
C'est une grande artiste.
C'est une grande auteure.
C'est une grande économiste.
C'est une grande avocate.

Variation : reprenez l'exercice avec *petit / petite*.

>>> Voir partie I-3, *Liaisons et enchaînements* (pages 23-24). <<<

RYTHME ET INTONATION

[t]

[d]

11 **Répétez en marquant bien le rythme (2 ou 3 syllabes).**

→ → → ↘
Exemple : Lundi, judo.

- Mardi, théâtre.
- Mercredi, cours de danse.
- Jeudi, dentiste.

- Vendredi, VTT.
- Samedi, médecin.
- Dimanche, détente, dormir, dormir très tard.

12 **Posez ces questions.**

→ → → → ↗ → → → → → → →
Exemple : Tu dois travailler ou tu ne dois pas travailler ?

– Tu dois téléphoner ou tu ne dois pas téléphoner ?
– Tu dois lui dire ou tu ne dois pas lui dire ?
– Tu dois quitter ton appartement ou tu ne dois pas le quitter ?
– Tu dois lui donner de l'argent ou tu ne dois pas lui en donner ?

13 **Pendant une première écoute, barrez les « t » et les « d » qui ne se prononcent pas.
Puis répétez.**

C'est la nuit. C'est minuit. Tout est tranquille dans le quartier. Pas un bruit.
La température est douce. Dans le ciel, les étoiles scintillent. Un grand chat court
très vite sur le trottoir et disparaît derrière une grande voiture.

14 Reprenez ces phrases en inversant l'ordre. Marquez bien la chute dans la phrase déclarative.

Exemple :   → →→↘ → →→→ → → → ↘   → → → → → → →↘   → →→↘
              C'est décidé, il arrête de travailler.   ➜ *Il arrête de travailler, c'est décidé*

1. C'est dommage, il veut prendre sa retraite.   ➜ .....

2. C'est étonnant, il ne sait pas conduire.   ➜ .....

3. C'est ridicule, il veut arrêter ses études.   ➜ .....

4. C'est triste, il est très malade.   ➜ .....

5. C'est inutile d'insister, il ne veut pas accepter. ➜ .....

PHONIE-GRAPHIE

[t]
[d]

- [t] s'écrit « t », « tt » ou « th ».
- [d] s'écrit « d », rarement « dd ».
- En général, les lettres « t » et « d » en finale ne se prononcent pas.

« t » ne se prononce pas dans les séries et mots suivants.	« t » se prononce dans les mots suivants.
• **Séries :** – il fait, il doit, il peut, il sort, il rit… ils doivent, ils rient… – il est petit, fort, complet, rassurant, intelligent, compétent… – un ballet, un poignet, un billet, un ticket, un buffet… – rarement, exactement, finalement… – l'aspect, le respect, l'instinct… • **Dans de très nombreux mots :** – le toit, la nuit, le lait, un état, un contrat, un aéroport, un médicament, un croissant, bientôt, tout…	– l'est, l'ouest, le but, le fait, en août, le sept, le huit, le Net ou Internet… – c'est brut, mat, net… – direct, correct, tact, verdict…
« d » ne se prononce pas dans les séries et mots suivants.	« d » se prononce dans les mots suivants.
• **Séries :** – il entend, il prend, il répond, il fond… – c'est chaud, froid, lourd, profond… • Mots composés avec grand devant une consonne : – grand-père…, grand-place…	– le sud, – Alfred, Madrid.

5 Sélectionnez, dans le chapitre, des mots avec les sons [t] et [d]. Notez-les.

[t]			[d]
« t »	« tt »	« th »	« d »
....	....	....	....
....	....	....	....
....	....	....	....

6 Écrivez les mots. Aidez-vous de votre dictionnaire.

Exemples : [dut] → *doute.* [ãtãdʀ] → *entendre.*

1. [abityd]   → ....

2. [atãdʀ]   → ....

3. [tɔ̃be]   → ....

4. [dɑ̃ʒəʁø]   → ....

5. [tutalœr]   → ....

6. [dɛstinasjɔ̃]   → ....

7. [depaʁtəmɑ̃]   → ....

8. [desɑ̃dʀ]   → ....

9. [dɑ̃tist]   → ....

10. [teatʀ]   → ....

11. [ɔʀtɔɡʁaf]   → ....

12. [kɔʀɛkt]   → ....

Dictée

7 Écoutez et écrivez.

1. ....

2. ....

3. ....

4. ....

5. ....

6. ....

[t]
[d]

INTERPRÉTATION

8 Lisez ce texte à voix haute, puis écoutez-le.

> **Il faut passer le temps**
> On croit que c'est facile
> de ne rien faire du tout
> au fond, c'est difficile
> c'est difficile comme tout
> il faut passer le temps
> c'est tout un travail
> il faut passer le temps
> c'est un travail de titan […]
> Jacques Prévert, *Histoires*, © Éditions Gallimard, 1963.

Les consonnes occlusives
[k] – [g]

DESCRIPTION

[k]

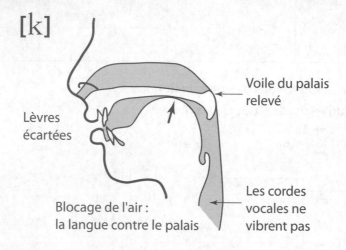

Voile du palais relevé

Lèvres écartées

Les cordes vocales ne vibrent pas

Blocage de l'air : la langue contre le palais

[g]

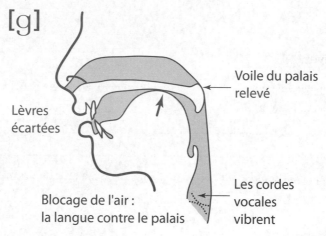

Voile du palais relevé

Lèvres écartées

Les cordes vocales vibrent

Blocage de l'air : la langue contre le palais

SENSIBILISATION

DISCRIMINATION

1 Dans quel ordre entendez-vous ces suites de sons ? Notez-le.

	À l'initiale		À l'intervocalique		En finale	
Exemples	car gare	2 – 1	écho égaux	1 – 2	bac bague	2 – 1
1.	quai gai	....	écu aigu	....	dock dogue	....
2.	quand gant	....	requin regain	....	cycle sigle	....
3.	cou goût	....	écoute égoutte	....	oncle ongle	....
4.	comme gomme	....	l'écran les grands	....	manque mangue	....

2 Cochez la phrase entendue.

Exemples	C'est classé.		C'est glacé.	✔
	Il aime les cars.	✔	Il aime les gares.	
1.	Il est carré.	...	Il est garé.	...
2.	Écoute-le.	...	Égoutte-le.	...
3.	Il est à Caen.	...	Il est à Gand.	...
4.	Regarde les bacs.	...	Regarde les bagues.	...
5.	Qui est là ?	...	Guy est là ?	...

[k]
[g]

3 Quelles suites de sons entendez-vous ? Cochez.

		[k] – [k]	[k] – [g]	[g] – [k]	[g] – [g]
Exemple	Quel client ?	✔			
	1.	...	...	...	...
	2.	...	...	...	...
	3.	...	...	...	...
	4.	...	...	...	...
	5.	...	...	...	...
	6.	...	...	...	...

4 Entendez-vous [k] en finale ou non ? Classez les mots.

du tabac, un sac, c'est chic, le choc, le banc, un chèque, le stock, le porc, un bifteck, sec, un mec, l'estomac, avec, le lac, le parc, le respect, le coq, cinq, le caoutchouc, un bec.

	Vous entendez [k] en finale.	Vous n'entendez pas [k] en finale.
Exemples	un sa**c**	du taba~~c~~
	....	....
	....	....
	....	....
	....	....

ARTICULATION

[k]

[g]

5 Répétez. Ne prononcez pas les « e » barrés.

- à côté d~~e~~ la gar~~e~~
- à côté du garag~~e~~
- à côté d~~e~~ l'églis~~e~~

- à côté du club de tennis
- à côté d~~e~~ l'écol~~e~~
- avec le méd~~e~~cin

- avec un comédien
- avec le guid~~e~~
- avec un gardien

>>> Voir partie II-4, *Le* [ə] *instable* (pages 71-72). <<<

6 Répétez les questions.

– Dans quel garage ? Quel camion ?
– Dans quel groupe ? Dans quelle classe ?
– À quelle gare ? À quel guichet ?

– Dans quel camping ? Avec quel copain ?
– Dans quel magasin ? À quelle caisse ?
– Quelle guerre ? Quel conflit ?

7 Faites passer le [k] ou le [g] dans la syllabe suivante. Marquez l'enchaînement.

Exemple : un chèque͜ important.

– un choc épouvantable
– un risque énorme
– un sac en cuir
– un parc enneigé

– une longue avenue
– une langue ancienne
– un gag amusant
– une bague originale

↳ *Attention ! Un long͜ hiver* → [ɛ̃lɔ̃givɛʀ] (liaison obligatoire).

8 Répétez. Marquez bien l'explosion du [k] et du [g] en finale.

• ba	bague	baguette	bague	• sa	sac	sacoche	sac
• fi	figue	figuier	figue	• ment	manque	manquer	manque
• lent	langue	languette	langue	• banc	banque	banquier	banque
• long	longue	longueur	longue	• sein	cinq	cinquante	cinq

9 **Répétez les phrases.**

[ɛks]
C'est excellent.
C'est extraordinaire.
C'est exceptionnel.
C'est excitant.
C'est excessif.

[ɛgz]
C'est exaspérant.
C'est exagéré.
C'est exaltant.
C'est exact.
C'est exorbitant.

>>> Voir partie III-2, [s] – [z] (pages 143-144). <<<

RYTHME ET INTONATION

10 **Après une ou deux écoutes, reprenez ces définitions de mémoire.**

1. Un compositeur : c'est quelqu'un qui compose de la musique.
2. Un glacier : c'est quelqu'un qui fabrique des glaces.
3. Un gardien : c'est quelqu'un qui garde des locaux.
4. Un cuisinier : c'est quelqu'un qui fait la cuisine.
5. Un guide : c'est quelqu'un qui explique et décrit les curiosités d'un lieu.

11 **Répétez. Respectez le schéma mélodique et le rythme.**

[k]
[g]

Exemple : C'est grâce à lui ou à cause de lui ?

– C'est grâce à elle ou à cause d'elle ? – C'est grâce à toi ou à cause de toi ?
– C'est grâce à eux ou à cause d'eux ? – C'est grâce à moi ou à cause de moi ?

12 **Après une première écoute, reprenez les dialogues.**

1. « Vous commencez ?   3. « Vous commandez ?   5. « On continue ?
— OK ! D'accord ! »   — Avec plaisir ! »   — Pourquoi pas ? »

2. « Vous vous déguisez ? 4. « Vous regrettez ?   6. « Tu viens au club avec moi ?
— Pas question. »   — Non, aucun regret ! »   — Encore ! Oh non ! »

13 **Passez du français standard au français familier. Respectez le changement de schéma mélodique.**

Exemple : Qu'est-ce qu'on mange ce soir ? → On mange quoi ce soir ?

1. Qu'est-ce que tu bois comme alcool ?   → Tu bois quoi comme alcool ?
2. Qu'est-ce qu'on regarde à la télé ce soir ?   → On regarde quoi à la télé ce soir ?
3. Qu'est-ce que tu aimes comme cuisine ?   → Tu aimes quoi comme cuisine ?
4. Qu'est-ce que tu comptes faire demain ?   → Tu comptes faire quoi demain ?
5. Qu'est-ce que tu lis en ce moment ?   → Tu lis quoi en ce moment ?

14 Transformez les phrases en français plus soutenu.

1. Vous pratiquez quels sports ? → Quels sports pratiquez-vous ?
2. Vous gagnez combien ? → Combien gagnez-vous ?
3. Vous voulez rencontrer qui ? → Qui voulez-vous rencontrer ?
4. Vous vous connaissez depuis quand ? → Depuis quand vous connaissez-vous ?
5. Vous gardez la chambre jusqu'à quand ? → Jusqu'à quand gardez-vous la chambre
6. Vous voulez goûter quel chocolat ? → Quel chocolat voulez-vous goûter ?

VARIATION : passez du *vous* au *tu*.

15 Allongez les phrases. Respectez les groupes rythmiques et l'allongement de la dernière syllabe.

1. Guillaume,
   Guillaume, un jeune garçon
   Guillaume, un jeune garçon de quinze ans,
   Guillaume, un jeune garçon de quinze ans, a cassé la guitare
   Guillaume, un jeune garçon de quinze ans, a cassé la guitare de son copain Gaspard

2. L'avocat a relu
   L'avocat a relu à l'accusé
   L'avocat a relu à l'accusé le verdict
   L'avocat a relu à l'accusé le verdict qui le condamnait
   L'avocat a relu à l'accusé le verdict qui le condamnait à cinq ans de réclusion.

[k]
[g]

16 Lisez ce texte à voix haute. Attention à la lettre « c » qui se prononce [s] ou [k] et à la lettre « g » qui se prononce [g] ou [ʒ].

Généralement pour maigrir, ou ne pas grossir, il est recommandé de manger beaucoup de légumes : des carottes, des haricots, des aubergines, des courgettes, de manger des graines de toutes sortes de céréales ; de ne pas manger de graisse, de sucre, de glaces, de gâteaux, de ne pas boire d'alcool… Pas grand-chose donc !

PHONIE-graphie

• [k] s'écrit :
– « c », « cc »,
– « c » (+ a, o, u),
– « cu » (+ e, i),
– « qu », « q », « k ».
Attention ! Quelques mots s'écrivent « ch » *(orchestre)*, « ck » *(stock)* et « cq » *(acquitter)*.

• [g] s'écrit :
– « g » (+ a, o, u) + consonnes,
– « gu » (+ e, i),
– « g » en finale.
Attention ! Quelques mots s'écrivent « gg » *(agglomération)*.

17 Sélectionnez des mots avec les sons [k] et [g]. Notez-les.

	[k]		[g]
« c » + a, o, u	« cu » + e, i	« cc »	« g » + a, o, u
....	....	....	....
« qu », « q », « cq »	« k », « ck »	« ch »	« gu » + e, i
....	....	....	....

18 Écrivez les mots suivants. Aidez-vous de votre dictionnaire.

Exemples : [kapital] → *capitale.* [gaʀaʒist] → *garagiste.*

1. [kɔmynike] → ....
2. [gitaʀ] → ....
3. [diksjɔnɛʀ] → ....
4. [ʀəgaʀde] → ....
5. [kɛstjɔ̃] → ....
6. [gaʀdjɛ̃] → ....
7. [kɔlɛg] → ....
8. [ʀegyljɛʀmɑ̃] → ....
9. [ɛ̃skʀipsjɔ̃] → ....
10. [kaʀakteʀistik] → ....
11. [aksidɑ̃] → ....
12. [gʀatɥi] → ....

Dictée

19 Écoutez et écrivez.

1. ....
2. ....
3. ....
4. ....
5. ....
6. ....

[k]
[g]

INTERPRÉTATION

20 Lisez ces titres de romans à voix haute, puis écoutez.

CALIGULA d'Albert CAMUS
ANTIGONE de Jean ANOUILH
VIE SECRÈTE de Pascal QUIGNARD
L'AFRICAIN de Jean-Marie LE CLÉZIO
COMME UN ROMAN de Daniel PENNAC
LA MAISON DE CLAUDINE de COLETTE

UN HOMME QUI DORT de Georges PEREC
EN ATTENDANT GODOT de Samuel BECKETT
LA COMÉDIE HUMAINE d'Honoré de BALZAC
EXERCICES DE STYLE de Raymond QUENEAU
LE DIALOGUE DES CULTURES de Léopold SÉDAR-SENGHOR
JE VOUDRAIS QUE QUELQU'UN M'ATTENDE QUELQUE PART
d'Anna GAVALDA

Les consonnes occlusives
[m] – [n]– [ɲ]

DESCRIPTION

[m]

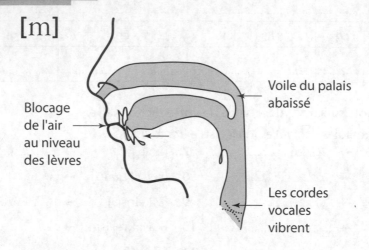

Voile du palais abaissé

Blocage de l'air au niveau des lèvres

Les cordes vocales vibrent

[n]

Voile du palais abaissé

Les cordes vocales vibrent

Blocage de l'air :
la langue derrière les dents

[m]

[n]

[ɲ]

[ɲ]

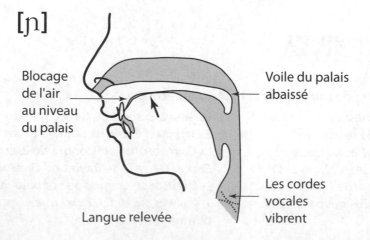

Blocage de l'air au niveau du palais

Voile du palais abaissé

Les cordes vocales vibrent

Langue relevée

130

[m]

[n]

DISCRIMINATION

[ɲ]

1 Entendez-vous deux fois le même mot ou deux mots différents ?

	≠	=		≠	=
Exemples règne-reine	✔		*seine-seine*		✔
1.	...	...	4.	...	...
2.	...	...	5.	...	...
3.	...	...	6.	...	...

2 Séparez les mots par une barre (/) chaque fois que vous entendez un changement de consonne nasale.

Exemple : ma   ma   ma   na   na   gna   gna   gna.

...   . / ...   ... / ...   .

1. ...   .

2. ...   .

3. ...   .

ARTICULATION

3 Répétez les trois consonnes nasales.

[m]		[n]		[ɲ]	
mimer	→ mime	dîner	→ dîne	signer	→ signe
dormir	→ dorment	donner	→ donne	aligner	→ ligne
aimer	→ aime	sonner	→ sonne	peigner	→ peigne
fumer	→ fume	deviner	→ devine	baigner	→ baigne
armer	→ arme	tourner	→ tourne	régner	→ règne

4 Complétez, puis écoutez pour vérifier.

1. Verbes terminés par « -gner » [ɲe].

	Futur proche	Présent	Passé composé
Exemple :			
• *se peigner*	*il va se peigner*	*il se peigne*	*il s'est peigné*
• se baigner	il	il	il ....
• se soigner	il	il	il ....
• signer	il	il	il ....

2. Verbes terminés par « -aindre/eindre » [ɛ̃dʀ], au présent.
Exemple :

• *plaindre*	*nous plaignons*	*vous plaignez*	*ils plaignent*
• éteindre	nous	vous	ils ....
• craindre	nous	vous	ils ....

[m]

[n]

[ɲ]

5 Répétez (↓). Marquez les enchaînements.

[m]	[n]	[ɲ]
Exemples :		
un homme‿intelligent	*un automne‿ensoleillé*	*un signe‿incompréhensible*
une femme étonnante	une bonne année	une ligne étroite
un rhume épouvantable	une ancienne amie	une montagne enneigée
Nous sommes entrés.	On dîne à huit heures.	On signe un contrat.
Ils dorment encore.	Il dessine un mouton.	Ils repeignent un mur.
Elle anime un débat.	On déjeune ensemble.	Elles craignent un orage.

↳ *Attention !* **Pas de liaison entre :**
– nom singulier + adjectif → une maison # ancienne.
– nom singulier + verbe → la maison # est‿ouverte.

>>> Voir partie I-3, *Liaisons et enchaînements* (pages 24-25). <<<

6 **Répétez les mots et leurs dérivés.**

1. + le suffixe « -isme ».

social → socialisme   capital → capitalisme   journal → journalisme
islam → islamisme   futur → futurisme   alcool → alcoolisme

2. Voyelle nasale → voyelle orale + « n ».

dessin → dessiner   fin → finir   son → sonner
don → donner   plan → planifier   câlin → câliner

3. Voyelle nasale → voyelle orale + « gn ».

soin → soigner   bain → baigner   gain → gagner
témoin → témoigner   sang → saigner   loin → éloigner

7 **Répétez ces mots avec le suffixe « -ing » (emprunté à l'anglais).**

un parking   un smoking   un meeting   un mailing
un pressing   le footing   le planning   le zapping
un camping   le marketing   le footing   le trekking

RYTHME ET INTONATION

8 **Répétez. Détachez bien les groupes rythmiques. Attention à la liaison.**

1. C'est ma moto. / Elle est_à moi. / C'est la mienne. /
2. C'est ma maison. / Elle est_à moi. / C'est la mienne. /
3. Ce sont mes meubles. / Ils sont_à moi. / Ce sont les miens. /
4. Ce sont mes millions. / Ils sont_à moi. / Ce sont les miens. /

9 **Pendant une première écoute, barrez les « e » non prononcés, puis répétez.**

Exemple : Ça ne m'amuse pas !

• Ça ne me manque pas.   • Ça ne se mange pas.
• Ça ne m'ennuie pas.   • Ça ne se soigne pas.
• Ça ne m'énerve pas.   • Ça ne se mélange pas.

>>> Voir partie III-2, [s] – [z] (pages 145-146). <<<

10 **Répétez.**

1. J'aime la campagne : la Champagne, la Dordogne et la Sologne…
2. J'aime les montagnes : le Massif central, les Pyrénées, les Ardennes…
3. J'aime les métropoles : Rome, Moscou, Madrid, Mexico…
4. J'aime la mer : la mer Méditerranée, la mer Rouge, la mer Caspienne…
5. J'aime la nuit : les lumières, le calme, le noir…

11 **Répétez ces phrases familières. Respectez bien le rythme et la liaison.**

1. Je m'ennuie. T'as* rien_à m'faire faire ?
2. J'ai faim. T'as* rien_à manger ?
3. Je sors. T'as* rien_à acheter ?
4. Je vais au pressing. T'as* rien_à faire nettoyer ?
5. Je vais à la déchetterie. T'as* rien_à jeter ?

* Français familier : t'as rien = tu n'as rien (voir exercice 4, page 38).

[m]

[n]

[ɲ]

12 Comparez les deux interprétations de chaque phrase. Répétez-les.

1. Ne mens pas… ne me mens pas !
2. Ne dis rien… ne me dis rien !
3. Ne demande rien… ne me demande rien !
4. Ne touche pas… ne me touche pas !
5. Ne raconte pas… ne me raconte pas !
6. Ne signe pas… ne signe pas pour moi !

VARIATION : passez de *tu* à *vous*.

PHONIE-GRAPHIE

[m]

[n]

[ɲ]

• [m] s'écrit « m » ou « mm ».
– On rencontre quelques mots en finale absolue : *rhum*, *album*, *islam*, *intérim*.
• [n] s'écrit « n » ou « nn ».
• [ɲ] s'écrit « gn » ou « ni- » + voyelle.

13 Sélectionnez, dans le chapitre, des mots avec les sons [m], [n] et [ɲ]. Notez-les.

[m]			
« m »		« mm »	
....	....	....	....
....	....	....	....
[n]			
« n »		« nn »	
....	....	....	....
....	....	....	....
[ɲ]			
« gn »		« ni- » + voyelle	
....	....	....	....
....	....	....	....

14 **Écrivez les mots suivants. Aidez-vous de votre dictionnaire. Attention aux lettres qui ne se prononcent pas.**

Exemples : [maɲifik] → *magnifique.*
[samdi] → *samedi.*

1. [mɔ̃taɲ] → ....

2. [mɛ̃tnɑ̃] → ....

3. [medikamɑ̃] → ....

4. [nasjonalite] → ....

5. [magazin] → ....

6. [temwaɲaʒ] → ....

7. [səprɔmne] → ....

8. [timidmɑ̃] → ....

9. [monymɑ̃] → ....

10. [dinamik] → ....

11. [animatœʀ] → ....

12. [komynike] → ....

Dictée

15 **Écoutez et écrivez.**

1. ....

2. ....

3. ....

4. ....

5. ....

6. ....

[m]

[n]

[ɲ]

INTERPRÉTATION

16 **Lisez ces textes à voix haute, puis écoutez-les.**

Intérieur jour
Midi sonne
Elle chantonne
Elle mitonne pour son homme
M. L. Chalaron

Intérieur nuit
L'homme marmonne
Elle ronchonne
Le chat ronronne
M. L. Chalaron

135

2 Les consonnes constrictives [f] – [v]

DESCRIPTION

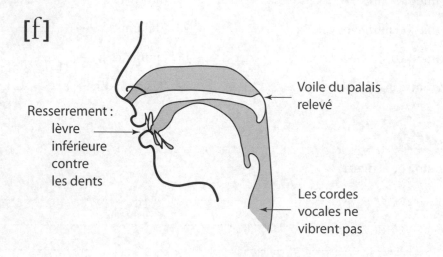

[f]

Resserrement : lèvre inférieure contre les dents

Voile du palais relevé

Les cordes vocales ne vibrent pas

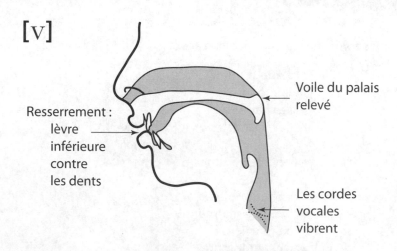

[v]

Resserrement : lèvre inférieure contre les dents

Voile du palais relevé

Les cordes vocales vibrent

136

SENSIBILISATION

DISCRIMINATION

1 **Entendez-vous [f] ou [v] ?**

	[f]	[v]		[f]	[v]		[f]	[v]
Exemples [fffa]	✔		[vvva]		✔	9.	...	...
1.	...	...	5.	...	...	10.	...	...
2.	...	...	6.	...	...	11.	...	...
3.	...	...	7.	...	...	12.	...	...
4.	...	...	8.	...	...	13.	...	...

[f]
[v]

2 **Un des deux mots est répété. Cochez-le.**

Exemples	actif	✔	active			passif		passive	✔
1.	sportif	...	sportive	...	4.	négatif	...	négative	...
2.	vif	...	vive	...	5.	neuf	...	neuve	...
3.	positif	...	positive	...	6.	veuf	...	veuve	...

3 **Entendez-vous le singulier ou le pluriel ? Cochez.**

Exemples	Il vit.	✔	Ils vivent.	
	Elle suit.		Elles suivent.	✔
1.	Elle t'écrit.	...	Elles t'écrivent.	...
2.	Il vous suit.	...	Ils vous suivent.	...
3.	Elle vous poursuit.	...	Elles vous poursuivent.	...
4.	Il s'inscrit à l'université.	...	Ils s'inscrivent à l'université.	...

4 Entendez-vous [f] ou [v] dans le nom ?

		[f]	[v]			[f]	[v]
Exemples	*un vieux… film*	✔			*un vieux… vélo*		✔
1.	une vieille…	…	…	5.	un nouveau…	…	…
2.	un vieux…	…	…	6.	un nouvel…	…	…
3.	un vieil…	…	…	7.	une nouvelle…	…	…
4.	des vieux…	…	…	8.	de nouveaux…	…	…

ARTICULATION

5 Répétez ces séries (→). Prononcez le même [v] et le même [f] dans toutes les positions.

1. vie   ravi   rave
2. vais   mauvais   mauve
3. veau   bravo   brave

4. fond   plafond   Plaf !
5. fort   effort   F
6. fer   souffert   souffle

6 Répétez. Distinguez bien le masculin du féminin.

1. vif, vif, vive
   actif, actif, active
   positif, positif, positive
   possessif, possessif, possessive

2. Fabien est possessif.
   Fabienne est possessive.
   Vivien est négatif et agressif.

3. Viviane est agressive et négative.
   Francis est vif, actif et positif.
   France est vive, active et positive.

4. Frédéric est sportif.
   Violette est sportive.
   Valérie est créative et productive.

7 Répétez, puis continuez en changeant de pronom. Vérifiez vos réponses.

Exemple avec « je » :

→ *Je voyage : je m'en vais, je visite des villes et des villages, je fais des photos, je filme, puis je reviens avec mes souvenirs.*

– Il voyage : ....   – Vous ....

– Elles ....   – On ....

8 Répétez avec le locuteur. Faites passer les [f] dans la syllabe suivante.

Exemples : neuf ingénieurs, neuf avions → [nœ-fɛ̃-ʒe-ɲœʀ], [nœ-fa-vjɔ̃].

– dix-neuf enfants, dix-neuf adultes
– soixante-neuf étudiants, neuf enseignants
– neuf Européens, dix-neuf Africains, vingt-neuf Australiens, trente-neuf Asiatiques

↳ *Attention !* Liaison en [v] pour : *neuf heures* et *neuf ans* → [nœvœʀ] – [nœvɑ̃].

[f]
[v]

9 Dites ces phrases (↓). Faites les enchaînements : [f] et [v] **passent dans la syllabe suivante.**

- Le prof_est là.
- L'élève_est là.
- Le prof_écoute.
- L'élève_écoute.

- Le prof_a peur.
- L'élève_a peur.
- Le prof_attend.
- L'élève_attend.

- Le prof_est bon.
- L'élève_est bon.
- Le prof_est nul.
- L'élève_est nul.

VARIATION : lisez les phrases horizontalement.

10 Répétez chaque série (↓).

- **Série 1**

[v] – [v]	[f] – [f]	[v] – [f]	[f] – [v]
un vélo vert	un café fort	des vacances fatigantes	un feu vert
un vieux vélo	une photo floue	un vent frais	un prof sévère
un visa valable	une pharmacie fermée	un vieux frigo	une coiffure afro
une voiture volée	une fleur fragile	une vie facile	un fauteuil vide

- **Série 2**

[v] – [v]	[v] – [f]	[f] – [f]
Je vais venir.	Je vais fumer dehors.	Je fais la fête.
Je vais voir.	Je vais fermer la fenêtre.	Je fais des photos.
Je veux voyager.	Je veux faire fortune.	Il faut filer*.
Je veux vivre mieux.	Je veux finir mes études.	Il faut foncer*.

* Français familier : filer = partir rapidement ; foncer = aller vite.

VARIATION : reprenez la série 2 et changez de pronom ➜ *Tu vas… Tu veux…*

[f]

[v]

11 Répétez (↓).

- Je vais vérifier votre vue.
- Je fais vérifier ma voiture.
- Je vais faire vérifier le lecteur de DVD.
- Je fais vérifier les freins de mon vélo.

- Je vais visiter votre ville.
- Je fais visiter ma ville.
- Je vous fais visiter ma ville.
- Je vais vous faire visiter la ville.

RYTHME ET INTONATION

12 Répétez en respectant le rythme.

1.
　　　　　　arriver
　　　　Ils vont arriver.
Il faut vous lever, ils vont arriver.

3.
　　　　　　la fenêtre
　　　　ouvrir la fenêtre
Il faut ouvrir la fenêtre.

2.
　　　　　　servir
　　　　vous servir
Je vais vous servir.

4.
　　　　　　un frère
　　　　avoir un frère
Elle voudrait avoir un frère.

13 Faites les enchaînements et marquez un accent d'insistance sur les syllabes en gras.
*Exemple : Ce verre‿est fragile, vraiment **très** fragile.*

- Ce fromage‿est trop fort, **vrai**ment trop fort.
- Ce devoir‿est facile, **vrai**ment **très** facile.
- Cette jeune fille‿est féminine, **vrai**ment très féminine.
- Ce village‿est vieux, **vrai**ment **très**, très vieux.
- Ce prof‿est sévère, e**x**trêmement sévère, **vrai**ment trop sévère.

14 Après une première écoute des dialogues, répondez en même temps que le locuteur.

« Vous faites souvent du sport ? Vélo ? Foot ?
— Pas de vélo, pas de foot, du footing. »

« Vous avez beaucoup voyagé ?
— Non, mais je voudrais voyager en Afrique. »

« Vous avez souvent très faim ?
— Très faim ? Ça m'arrive, oui, et soif aussi. »

« Vous vendez vos vieux vêtements ?
— Mes vieux vêtements *(rire)* ? Non. »

« Vous vous fatiguez vite ?
— Non, pas vite. J'aime l'effort. »

« Vous buvez du vin ?
— Parfois. »

« Vous êtes fumeur ?
— Oui, enfin, non… non, c'est fini. »

« Vous voudriez vivre vieux ?
— On verra. »

15 Reprenez ces phrases familières avec les intonations proposées.

– Fantastique, formidable ! Bravo, vraiment bravo !
– Fichu, c'est fichu*… J'vais pas arriver à finir !
– J'ai fini… fini, fini. Ouf !
– 19 à 9 ! Pfffff ! On est foutus* !
– T'es fou ou quoi ! Ça va pas, non !

* Français familier : c'est fichu = c'est perdu ; on est foutus = on ne gagnera pas.

[f]

[v]

PHONIE-GRAPHIE

- [f] s'écrit « f », « ff », ou « ph ».
En finale de mots :
– en général le « f » se prononce,
– le « f » n'est pas prononcé dans les mots suivants : *une clef, un nerf, les œufs, les bœufs.*
- [v] s'écrit « v ».

16 Sélectionnez, dans le chapitre, des mots avec les sons [f] et [v]. Notez-les.

[f]			[v]
« f »	« ff »	« ph »	« v »
....	....	....	....
....	....	....	....

17 Écrivez les mots suivants. Aidez-vous de votre dictionnaire.

Exemples : [viktwaʀ] ➜ *victoire.*
[sufle] ➜ *souffler, soufflez, soufflé.*

1. [vɛtmɑ̃] ➜ ....   **7.** [fotoɡʀaf] ➜ ....

2. [fʀaʒilite] ➜ ....   **8.** [sufʀiʀ] ➜ ....

3. [fotœj] ➜ ....   **9.** [vʀɛmɑ̃] ➜ ....

4. [vwajaʒœʀ] ➜ ....   **10.** [famij] ➜ ....

5. [swasɑ̃tnœf] ➜ ....   **11.** [pʀofesjɔ̃] ➜ ....

6. [fatigɑ̃] ➜ ....   **12.** [ɛ̃vitasjɔ̃] ➜ ....

Dictée

18 Écoutez et écrivez.

1. ....

2. ....

3. ....

4. ....

5. ....

6. ....

[f]

[v]

INTERPRÉTATION

19 Lisez ces textes à voix haute, puis écoutez-les.

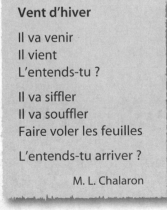

Vent d'hiver

Il va venir
Il vient
L'entends-tu ?

Il va siffler
Il va souffler
Faire voler les feuilles

L'entends-tu arriver ?

M. L. Chalaron

Typhon

Vent de folie
Vent de furie

Vent qui emporte,
Vent qui efface.

Vent de violence
Vent effrayant.

M. L. Chalaron

Les consonnes constrictives
[s] – [z]

[s]

[s]

[z]

Voile du palais relevé

Resserrement du passage de l'air

Les cordes vocales ne vibrent pas

Pointe de la langue en bas

[z]

Voile du palais relevé

Resserrement du passage de l'air

Les cordes vocales vibrent

Pointe de la langue en bas

SENSIBILISATION

ALLÉE DES CERISIERS

RUE D'ALSACE

DISCRIMINATION

1 Quelle forme verbale entendez-vous ? Cochez.

Exemples	Il grandit.	✔	Ils grandissent.	
	Il grossit.		Ils grossissent.	✔
1.	Elle lit.	…	Elles lisent.	…
2.	Il dit oui.	…	Ils disent oui.	…
3.	Elle traduit.	…	Elles traduisent.	…
4.	Elle vous plaît.	…	Elles vous plaisent.	…
5.	Elle vous connaît.	…	Elles vous connaissent.	…
6.	Il paraît fatigué.	…	Ils paraissent fatigués.	…

2 Une des deux formes est répétée. Laquelle ? Cochez.

[s]

[z]

		[s]		[z]				[s]		[z]
Exemples	nous savons	✔	nous avons				un dessert		un désert	✔
1.	ils s'aident	…	ils aident	…	5.	des Russes	…	des ruses	…
2.	un poisson	…	un poison	…	6.	deux sœurs	…	deux heures	…
3.	un seau	…	un zoo	…	7.	les cieux	…	les yeux	…
4.	un coussin	…	un cousin	…	8.	la scie	…	l'Asie	…

3 Dans ces mots, entendez-vous [ɛks] ou [ɛgz] ? Classez-les.

excellent, exact, expliquer, exercice, examen, exposition, extérieur, existence, extraordinaire.

	Vous entendez [ɛks].	Vous entendez [ɛgz].
Exemples	excellent	exact
	....	....
	....	....
	....	....
	....	....
	....	....

ARTICULATION

4 **Répétez les sons [s] et [z] en suivant les conseils.**

1. Lèvres étirées. Faites siffler le « s ». Allongez la consonne.
   ssssi   ssssé   ssssa   ssssin   assassin, assassine.

2. Lèvres arrondies. Faites siffler le « s ». Allongez la consonne.
   ssssou   sssson   sssseu   ssssu   moussu, osseux.

3. Lèvres étirées. Faites vibrer le « z ». Allongez la consonne.
   zzzzi   zzzzé   zzzza   zzzzin   Asie, hasard.

4. Lèvres arrondies. Faites vibrer le « z ». Allongez la consonne.
   zzzzo   zzzzeu   zzzzon   zzzzu   usure, osons.

5 **Après une première écoute, prononcez ces verbes (→).**

[z]	[s]	[s]	[z]
Ils‿entendent bien.	Ils s'entendent bien.	Elles sont‿arrêtées.	Elles ont‿arrêté.
Elles‿écoutent.	Elles s'écoutent.	Elles sont connues.	Elles ont connu.
Ils‿aiment.	Ils s'aiment.	Ils sont‿employés.	Ils‿ont‿employé.
Ils‿observent.	Ils s'observent.	Ils sont dirigés.	Ils‿ont dirigé.
Elles‿attendent.	Elles s'attendent.	Elles sont fêtées.	Elles ont fêté.

[s]

[z]

6 **Prononcez, puis vérifiez votre prononciation.**

	[s]	[z]	
1.	dessert	désert	→ Pas de dessert dans le désert.
2.	deux sœurs	deux heures	→ Deux heures avec les deux sœurs.
3.	poisson	poison	→ C'est un poison pour les poissons.
4.	nous savons	nous avons	→ Nous savons ce que nous avons.
5.	coussin	cousin	→ C'est le coussin de mon cousin.

7 **Respectez les enchaînements : faites passer le [s] ou le [z] dans la syllabe suivante, puis vérifiez votre prononciation.**

[s]	[z]
Exemples : une place‿assise	une chose‿étonnante
une danse‿africaine	une valise‿ouverte
une actrice‿étrangère	une surprise‿agréable
une annonce‿importante	une chemise‿originale
une adresse‿électronique	une pelouse‿interdite
un bus‿à étages	une rose‿ouverte

8 **Notez les liaisons et les enchaînements (‿), puis lisez ce texte à voix haute. Vérifiez votre prononciation.**

Voici Lucie et ses cinq sœurs. Lise a six ans. Louise a dix ans. Alice en a douze, Rose treize et Bérénice seize. Lucie, elle, a deux ans de plus que Rose et un an de moins que Bérénice. Quel âge a Lucie ?

RYTHME ET INTONATION

9 Pendant une première écoute, notez les liaisons dans les dialogues. Ensuite, réécoutez et répondez en même temps que le locuteur.

Exemple : « C'est très important ?
— Oui, et très urgent. »

« Ce n'est pas très utile, ce gadget.
— Non, mais il est très amusant. »

« Il est très sympa, ton copain.
— Très sympa, très affectueux. Le plus affectueux de mes amis. »

« Tu sembles très heureux ?
— Et très amoureux… de plus en plus. »

« Le temps est humide ?
— Moins humide qu'hier… beaucoup moins humide. »

« La piscine est agréable.
— C'est la plus agréable de la région. »

« Elle est comment la nouvelle responsable ?
— Elle est plus ouverte et plus abordable, et on est mieux informés. »

10 Répétez en respectant le schéma mélodique.

→   →   →   → → →↗ →→→

Exemple : J'achète des tasses à café ou à thé ?

[s]

[z]

1. Tu as dit une brosse à dents ou à cheveux ?
2. Tu préfères une sauce à la tomate ou à la crème ?
3. Vous voulez une valise en cuir ou en toile ?
4. Vous cherchez des chaises en plastique ou en bois ?

11 Répétez en respectant les intonations proposées.

1. Allez-y, commencez !… Commencez sans moi !
2. Désolé… Excusez-moi…
3. Repose-toi cinq minutes ! Tu n'es pas pressée !
4. Poussez-vous, poussez-vous ! Laissez-nous passer ! Merci !
5. Lance-toi ! Vas-y ! Danse ! Amuse-toi !
6. Stop ! Stop ! Attention !
7. Silence ! Ça suffit ! Taisez-vous !
8. Rassemblez-vous ! Unissez-vous ! Agissez !

12 Après une première écoute, posez les questions et/ou répondez en même temps que les locuteurs.

« Alors ? Tu as choisi ?
— Je ne sais pas, j'hésite. »

« Alors ? Que pensez-vous de cette proposition ?
— C'est sage, c'est raisonnable. »

« Alors ? Vous avez choisi ?
— Oui, c'est décidé, j'ai choisi. »

« Alors ? On prend une décision ou non ?
— Assez hésité ! Ça suffit ! Décidons ! »

« Alors ? Vous acceptez ?
— J'accepte avec plaisir. »

« Alors ? Vous avez été sélectionnée ?
— Je n'ai pas encore les résultats. »

13 Pendant une première écoute, barrez les « e » non prononcés, puis répétez en respectant le schéma mélodique.

$\rightarrow \quad \rightarrow \quad \nearrow \quad \rightarrow \quad \rightarrow$ $\rightarrow \rightarrow \quad \rightarrow \quad \quad \rightarrow \quad \quad \rightarrow \quad \nearrow$

Exemples :   *Ça se passe où, ce match ?*   *On se revoit quand ? samedi ?*

Ça se passe quand, ce concert ? | On se met où ? ici ?

Ça s'écrit comment, ce son ? | On se rappelle quand ? ce soir ?

Ça se cuisine comment, ce poisson ? | On se retrouve où ? à la piscine ?

Ça se prononce comment, ce mot ? | On se donne rendez-vous quand, à 6 heures ?

PHONIE-GRAPHIE

[s]

[z]

• [s] s'écrit :
– « s », « ss »,
– « c » (+ e, i, y), « ç » (+ a, o, u),
– « t » + « i » (+ voyelle).
Attention !
– Quelques mots s'écrivent « sc » : *une scène, un ascenseur, une piscine, une scie, les sciences…*

– *Dix* et *six* $\nearrow$ [dis], [sis] en finale : *Nous serons **six** ou **dix**.*
se prononcent $\rightarrow$ [di], [si] devant une consonne : ***dix** personnes, **six** personnes.*
                $\searrow$ [diz], [siz] devant une voyelle : ***dix**_adultes et **six**_enfants.*

– « t » + « i » (+ voyelle) $\nearrow$ [s] : *patient, démocratie, confidentiel, initial, ambition…*
                             $\searrow$ [t] : *question, entretien, huitième, métier, amitié…*

• [z] s'écrit « s » (entre deux voyelles) ou « z ».
Attention !
« x » = [z] dans *deuxième, sixième, dixième.*

14 Sélectionnez, dans le chapitre, des mots avec les sons [s] et [z]. Notez-les.

[s]			[z]
« s »	« ss »	« c » + e, i, y	« s »
....	....	....	....
....	....	....	....
....	....	....	....
« ç » + a, o, u	« ti » + voyelle	« sc »	« z »
....	....	....	....
....	....	....	....
....	....	....	....

15 **Écrivez les mots suivants. Aidez-vous de votre dictionnaire.**

Exemples : [sypɛrmarʃe] ➜ *supermarché.*
[syrpriz] ➜ *surprise.*

1. [desizjɔ̃] ➜ ....
2. [myzisjɛ̃] ➜ ....
3. [eksɛpsjɔnɛl] ➜ ....
4. [magazɛ̃] ➜ ....
5. [propozisjɔ̃] ➜ ....
6. [malørøz] ➜ ....

7. [ɛgzamɛ̃] ➜ ....
8. [presidɑ̃] ➜ ....
9. [pyblisite] ➜ ....
10. [kɛstjɔnɛr] ➜ ....
11. [rɛspɔ̃sabl] ➜ ....
12. [ezitasjɔ̃] ➜ ....

Dictée

16 **Écoutez et écrivez.**

1. ....
2. ....
3. ....
4. ....
5. ....
6. ....

[s]

[z]

INTERPRÉTATION

17 **Lisez ces textes à voix haute, seul(e) ou à deux. Ensuite, écoutez-les.**

Villes
Villes laborieuses, villes paresseuses
Villes désertées, villes délaissées
Villes discrètes, villes secrètes
Villes rugissantes, assourdissantes
Villes endormies, villes assoupies
Villes poussiéreuses, villes lumineuses
Villes aimées ou détestées
M. L. Chalaron

Le pinson
Chanson chanson
P'tit polisson
C'est moi l'pinson
C'est moi l'pinson
J'aime l'horizon
Et le gazon
Je suis tout rond
Monsieur l'baron
Pin pin son son
Pin pin son son
Louis Calaferte, « Les Oiseaux »,
in Théâtre complet, Pièces baroques II,
éditions Hesse, 1994 (p. 398).

[ʃ]

[ʒ]

[ʃ]

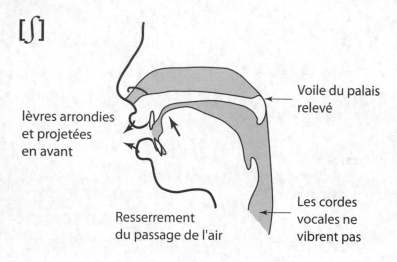

lèvres arrondies
et projetées
en avant

Voile du palais
relevé

Les cordes
vocales ne
vibrent pas

Resserrement
du passage de l'air

[ʒ]

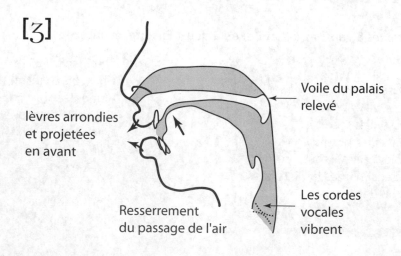

lèvres arrondies
et projetées
en avant

Voile du palais
relevé

Les cordes
vocales
vibrent

Resserrement
du passage de l'air

SENSIBILISATION

DISCRIMINATION

1 Dans ces mots, entendez-vous [ʃ] ou [ʒ] ?

	[ʃ]	[ʒ]
Exemples chercher	✔	
1.	…	…
2.	…	…
3.	…	…
4.	…	…

	[ʃ]	[ʒ]
manger		✔
5.	…	…
6.	…	…
7.	…	…
8.	…	…

[ʃ]

[ʒ]

2 Combien de fois entendez-vous le son [ʃ] et le son [ʒ] dans chaque phrase ?

	[ʃ]	[ʒ]
Exemples Jules cherche un logement.	2	2
Charles cherche un garage.	3	1
1.	…	…
2.	…	…
3.	…	…
4.	…	…
5.	…	…
6.	…	…

ARTICULATION

3 Prononcez [ʃ] et [ʒ] dans toutes les positions (initiale, intervocalique, finale). Répétez chaque série (→).

	[ʃ]				[ʒ]	
1. chez	lécher	mèche		**2.** j'ai	âgé	âge
chant	méchant	manche		Jean	agent	ange
chaud	à chaud	moche		joue	bijou	bouge
chou	chouchou	mouche		jeu	enjeu	ange

VARIATION : répétez verticalement.

4 Formulez oralement les phrases, comme dans l'exemple. Vérifiez vos réponses.

Exemple : Les voyageurs (voyager) → Les voyageurs voyagent.

1. Les chercheurs (chercher) → ....
2. Les joueurs (jouer) → ....
3. Les marcheurs (marcher) → ....
4. Les chasseurs (chasser) → ....
5. Les déménageurs (déménager) → ....
6. Les dirigeants (diriger) → ....

5 Répétez.

- un ingénieur norvégien
- une collégienne intelligente
- un voyageur sans bagages
- un journaliste courageux
- un jeune chasseur
- une logeuse généreuse

[ʃ]
[ʒ]

RYTHME ET INTONATION

6 Répétez. Allongez un peu la syllabe finale.

Exemples : C'est chaud.   C'est jaune.

C'est chic.   C'est joli.
C'est moche.   C'est beige.
C'est cher.   C'est léger.

7 Répétez d'abord lentement, puis rapidement.

– Couchez-vous, allongez-vous !
– Cache-toi, cache-toi là et ne bouge pas !
– Marchons plus vite, dépêchons-nous !
– Ne bougez pas ! Pas un geste !

8 Après une première écoute, reprenez la question et la réponse en même temps que les locuteurs. Respectez les groupes rythmiques.

« Vous cherchez / quelque chose ? // une veste chaude ? // une jolie écharpe ? // une chemise rouge ? // un chapeau de plage ? // des chaussettes jaunes ? // — Je cherche / quelque chose / de joli, // quelque chose / de chaud, // quelque chose / de léger, // quelque chose / de pas trop cher. // »

9 Répétez. Accentuez et allongez un peu la dernière syllabe.

1.
dans le jardin
des champignons dans le jardin
Jacques cherche des champignons dans le jardin.

2.
une chanson norvégienne
sous sa douche une chanson norvégienne
Julie chante sous sa douche une chanson norvégienne.

3.
du château
dans la salle à manger du château
Sacha déjeune dans la salle à manger du château.

10 Après une première écoute, reprenez le texte en même temps que le locuteur.

Un jeune journaliste, / en reportage en Chine, / avait transporté dans ses bagages, / puis caché dans sa chambre, / un jambon et un fromage / pour manger à la française. //

Le matin, / après le départ / du jeune journaliste / pour son reportage, / la femme de ménage, / – une jeune chinoise charmante – // a trouvé dans la chambre, / cachés sous une longue serviette, / le jambon / et le fromage. // Elle a goûté le jambon, / mais elle l'a laissé, // elle a goûté le fromage / et l'a mangé ! // Puis elle a fini / sagement / son ménage en chantant. //

$[\int]$

$[\textrm{ʒ}]$

PHONIE-GRAPHIE

• [∫] s'écrit « ch », sauf *schéma, shampoing*.
Attention ! « ch » se prononce [k] dans certains mots*.
• [ʒ] s'écrit :
– « j »,
– « g » (+ e, i, y),
– « ge » (+ a, o, u).
Attention ! « gu » (+ e, i, y) et « g » (+ a, o, u) = [g]*.

>>> * Voir partie III-1, [k] – [g] (page 128). <<<

	Présent	*Imparfait*	*Gérondif*
• Devant « e » et « i » : « g » = [ʒ].	je mang-e tu mang-es il/elle mang-e ils/elles mang-ent vous mang-ez	nous mang-ions vous mang-iez	en mang-e-ant
• Devant « a », « o », « u » : on ajoute un « e » pour garder le son [ʒ].	nous mang-e-ons	je mang-e-ais tu mang-e-ais il mang-e-ait ils mang-e-aient	

11 Écrivez les formes conjuguées des verbes.

1. Présent

Exemple : Bouger   → *Nous bougeons beaucoup.*

Voyager   → Nous .... beaucoup.

Déménager → Nous .... souvent.

Changer   → Nous .... souvent de ville.

2. Imparfait

Exemple : Envisager   → *Plus jeune, il envisageait de partir à l'étranger.*

Déménager → Nous .... souvent autrefois.

Diriger   → Il .... une entreprise avant sa retraite

Loger   → Quand elle était étudiante, elle .... chez ses parent

12 Sélectionnez, dans le chapitre, des mots avec les sons [ʃ] et [ʒ]. Notez-les.

[ʃ]	[ʒ]		
« ch »	« j »	« ge » + a, o, u	« g » + e, i, y
....	....	....	....
....	....	....	....

[ʃ]
[ʒ]

13 Écrivez les mots suivants. Aidez-vous de votre dictionnaire.

Exemples : [ʃɛʁʃe] → *chercher, cherchez, cherché.*
           [ʒamɛ] → *jamais.*

1. [ʃosɛt] → ....

2. [ʒwajø] → ....

3. [ʃɑ̃sɔ̃] → ....

4. [lɔʒmɑ̃] → ....

5. [aʁʒɑ̃] → ....

6. [kɛlkəʃoz] → ....

7. [ʃɑ̃ʒe] → ....

8. [ʒeogʁafi] → ....

9. [sədepeʃe] → ....

10. [ɛteliʒɑ̃] → ....

11. [gaʁaʒ] → ....

12. [ʃapo] → ....

Dictée

14 Écoutez et écrivez.

1. ....

2. ....

3. ....

4. ....

5. ....

6. ....

INTERPRÉTATION

5 **Lisez ce texte à voix haute, seul(e) ou à deux. Ensuite, écoutez-le.**

Personnages :
LE POSSESSEUR
LE NON-POSSESSEUR

LE POSSESSEUR, *autoritaire*
Ça, pas touche ! C'est à moi !
LE NON-POSSESSEUR
Et ça ?
LE POSSESSEUR
Ça aussi ! Pas touche ! C'est à moi !
LE NON-POSSESSEUR
Et ça alors ?
LE POSSESSEUR
Ça, c'est à moi aussi ! Pas touche !
LE NON-POSSESSEUR
Alors, qu'est-ce que j'ai, moi, là-dedans ?
LE POSSESSEUR
T'as rien ! C'est tout à moi !
LE NON-POSSESSEUR
C'est pas juste !
LE POSSESSEUR
Juste ou pas juste, c'est tout à moi ! Pas touche !

Louis Calaferte, « Un riche, trois pauvres », *in Théâtre complet*,
Pièces baroques II, éditions Hesse, 1994.

[ʃ]

[ʒ]

Les consonnes constrictives
[ʒ] – [j]

[ʒ]

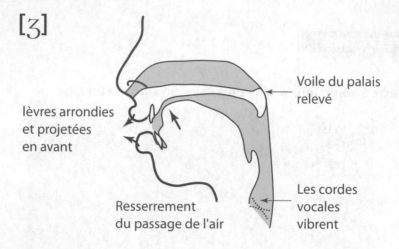

lèvres arrondies
et projetées
en avant

Voile du palais
relevé

Resserrement
du passage de l'air

Les cordes
vocales
vibrent

[j]

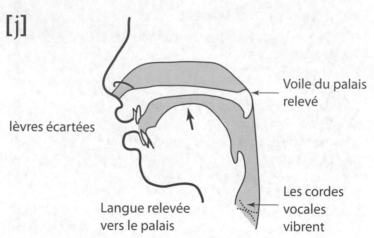

lèvres écartées

Voile du palais
relevé

Langue relevée
vers le palais

Les cordes
vocales
vibrent

GIERES

allée des
Jonquilles

GIERES

Allée
des Bruyères

DISCRIMINATION

1 Un des trois mots est répété. Cochez-le.

Exemples	la		l'âge		l'ail	✔
1.	ta	...	Tage	...	taille	...
2.	pas	...	page	...	paille	...
3.	rat	...	rage	...	rail	...

	fa		fige	✔	faille	
4.	à	...	âge	...	ail	...
5.	cas	...	cage	...	caille	...
6.	ma	...	mage	...	maille	...

2 Entendez-vous le présent ou l'imparfait ? Cochez.

		Présent [-ɔ̃] ou [-e]		Imparfait [-jɔ̃] ou [-je]
Exemple	vous corrigez		vous corrigiez	✔
1.	nous nageons	...	nous nagions	...
2.	vous déménagez	...	vous déménagiez	...
3.	nous voyageons	...	nous voyagions	...
4.	nous partageons	...	nous partagions	...
5.	vous jugez	...	vous jugiez	...

[ʒ]
[j]

ARTICULATION

3 Prononcez le même [j] en position finale et intervocalique. Écrivez les mots.
Aidez-vous de votre dictionnaire.

Exemples : [fij] [fijɛt]
fille fillette

1. [akœj]   [akœjiʀ]   **3.** [ʀevɛj]   [ʀevɛje]

....

2. [tʀavaj]   [tʀavaje]   **4.** [sɔmɛj]   [sɔmɛje]

....

4 Répétez. Articulez bien et découpez les syllabes.

1. [ʀu-a]	[ʀwa]	[ʀwa-jal]		**4.** [su-a]	[swa]	[swa-jø]
	roi	royal			soie	soyeux
2. [lu-a]	[lwa]	[lwa-jal]		**5.** [kʀu-a]	[kʀwa]	[kʀwa-jɑ̃]
	loi	loyal			crois	croyant
3. [mu-a]	[mwa]	[mwa-jɛ̃]		**6.** [vu-a]	[vwa]	[vwa-jaʒ]
	moi	moyen			voie	voyage

5 Répétez et faites les enchaînements.

Exemples : une vieille_amie   une image_étrange

- un vieil_ordinateur
- un vieil_immeuble
- un sommeil_agité
- un réveil_en musique

- un âge_avancé
- un voyage_agréable
- un paysage_attachant
- un témoignage_important

RYTHME ET INTONATION

6 Après une première écoute, répondez aux questions en même temps que le locuteur.

« C'est injuste, non ?
— Oui, c'est injuste, très injuste. »

« C'est une jeune fille intelligente ?
— Très intelligente, très brillante. »

« On mange bien à Marseille.
— C'est juste, on mange bien à Marseille, très bien. »

« Est-ce que la rue Monge est embouteillée ?
— La rue Monge ? Il y a des embouteillages, oui. »

« Elle est jolie, la plage ?
— Oui, c'est une très jolie plage, bien ensoleillée. »

[ʒ]
[j]

7 Après une première écoute, reprenez le texte avec le rythme proposé.

La tête / sur l'oreiller / du fauteuil / en osier, / l'homme surveille. // On le croit endormi, mais il surveille. // Quoi ? // Tout ! // Les fillettes / qui passent, // un vieil homme / qui fouille les poubelles, // le chat / qui sommeille, // sa femme / qui cueille des fleurs, // sa fille / qui fait de la mayonnaise… // Il surveille tout : // la bouteille de bière, / la grille qu rouille, / le soleil dans le ciel, / les abeilles dans le feuillage… // Il baille, / il a sommeil, / mais… // il surveille. //

PHONIE-GRAPHIE

- [ʒ] s'écrit « j » ou « g ».

>>> Voir partie III-2, [ʃ] – [ʒ] (pages 151-152). <<<

- [j] s'écrit « i », « y » ou « il(le) ».
Attention ! « ille » → [il] dans : *ville, mille, tranquille, Lille.*

8 Sélectionnez, dans le chapitre, des exemples des différentes graphies du son [j]. Notez-les.

« i » + voyelle	« y » + voyelle	« ille » / « ouille »
....	....	....
....	....	....

Noms terminés par :		
« -ail » (masculin) « -aille » (féminin)	« -euil » (masculin) « -euille » (féminin)	« -eil » (masculin) « -eille » (féminin)
....	....	....
....	....	....

9 Écrivez les mots suivants. Aidez-vous de votre dictionnaire.

Exemples : [kɔ̃seje] → *conseiller.* [sabije] → *s'habiller.*

1. [gʀijaʒ]   → ....
2. [mɛʀvɛjø]   → ....
3. [ʒwajø]   → ....
4. [suʀveje]   → ....
5. [bataj]   → ....
6. [ɑ̃plwaje]   → ....

7. [kʀwajɑ̃s]   → ....
8. [ʒenjal]   → ....
9. [apɥije]   → ....
10. [mwajɛnaʒ] → ....
11. [makijaʒ] → ....
12. [ɑ̃butɛjaʒ] → ....

Dictée

10 Écoutez et écrivez.

1. ....
2. ....
3. ....
4. ....
5. ....
6. ....

[ʒ]

[j]

INTERPRÉTATION

11 Lisez ce texte à voix haute, puis écoutez-le.

> Mariage royal   Mariage grillage
> Mariage loyal   Mariage en cage
>
> Mariage merveille   Mariage courage
> Mariage soleil   Mariage tout âge
>
> Mariage canaille   Mariage de paille
> Mariage bataille   Mariage bye-bye.
>
> M. L. Chalaron

EGLISE SAINT-JULIEN

CHEMIN
DE L'EGLISE

1 Quelle phrase entendez-vous ? Cochez.

[s]

[ʃ]

[z]

[ʒ]

Exemples	C'est moi.	✔	Chez moi.	
	C'est cassé.		C'est caché.	✔
1.	Ce sont mes sous.	…	Ce sont mes choux.	…
2.	Voilà la scène.	…	Voilà la chaîne.	…
3.	Il masse.	…	Il mâche.	…
4.	Ils pensent.	…	Ils penchent.	…
5.	Ne tousse pas.	…	Ne touche pas.	…

2 Quelle suite de sons entendez-vous ? Cochez.

		[s] – [s]	[ʃ] – [ʃ]	[s] – [ʃ]	[ʃ] – [s]
Exemples	ce soir	✔			
	chaque chat		✔		
	son chèque			✔	
	chaque soir				✔
	1.	…	…	…	…
	2.	…	…	…	…
	3.	…	…	…	…
	4.	…	…	…	…
	5.	…	…	…	…
	6.	…	…	…	…

3 Entendez-vous un [ʒ] ou un [z] de liaison dans les verbes suivants ? Cochez.

		[ʒ]	[z]
Exemples	*ils jouent*	✔	
	1.	...	...
	2.	...	...
	3.	...	...

	[ʒ]	[z]
elles osent		✔
4.	...	...
5.	...	...
6.	...	...

ARTICULATION

4 Répétez chaque série (→).

• **Série 1**

les jaunes	les zones
le gel	le zèle
les gens	les ans
les jeux	les œufs
les joies	les oies

• **Série 2**

la chaîne	la scène
les chants	les gens
le chien	le sien
le chant	le sang
les châles	les salles

[s]

[ʃ]

[z]

[ʒ]

5 Conjuguez ces verbes au présent avec *ils*, puis lisez à voix haute. Vérifiez vos réponses et votre prononciation.

Exemples : Essayer et choisir → *Ils essayent et ils choisissent.*
Écouter et juger → *Ils écoutent et ils jugent.*

• Écouter et zapper → Ils ....

• Chercher et cacher → Ils ....

• Grossir et maigrir → Ils ....

• Réfléchir et agir → Ils ....

• Jouer et jongler → Ils ....

VARIATION : remplacez *ils* par *nous* et *vous*.

6 Répétez (↓). Détachez bien les syllabes.

• [ʃ] – [s]
« J'ai des choux, mais je n'ai pas de sous. Toi, tu as des sous, tu n'as pas de choux. Donne-moi tes sous, je te donne mes choux. Voilà ! Tu as mes choux et j'ai tes sous. »

• [z] – [ʒ]
« J'ai des œufs, mais je n'ai pas de jeux. Toi, tu as des jeux, tu n'as pas d'œufs. Donne-moi tes jeux, je te donne mes œufs. Voilà ! Tu as mes œufs et j'ai tes jeux. »

VARIATION : enchaînez les phrases rapidement.

RYTHME ET INTONATION

7 **Répétez en respectant le rythme et le schéma mélodique.**

→   → →   →   →   →   ↗   → →   →

Exemple :   Ces baskets, ce sont les siennes ou les miennes ?

– Ce short, c'est le tien ou le sien ?
– Ces chaussettes, ce sont les miennes ou les siennes ?
– Cette casquette, c'est la tienne ou la sienne ?
– Ce sac de sport, c'est le sien ou le mien ?

8 **Répétez en respectant le rythme et le schéma mélodique.**

→ → → →   →   →   →   ↘   →→ → → → ↘

Exemple :   Assez pêché pour aujourd'hui. On a assez pêché.

– Assez chanté pour aujourd'hui ! Nous avons assez chanté.
– Assez mangé pour aujourd'hui ! Nous avons déjà trop mangé.
– Assez cherché pour aujourd'hui ! On a assez cherché.
– Assez joué pour aujourd'hui ! On a assez joué.

[s]

[ʃ]

[z]

[ʒ]

9 **Après une première écoute, répétez en même temps que le locuteur.**

– J'ai besoin d'une veste et d'une chemise blanche… pour mon mariage.
– J'ai besoin d'une écharpe… et de chaussettes aussi… pour avoir chaud.
– J'ai besoin d'un T-shirt, d'un short… et d'un chapeau de plage !
– Je cherche une jupe grise et un chemisier strict pour aller travailler.
– Je cherche des grosses chaussures de marche… solides… et souples.

PHONIE-GRAPHIE

• [ʃ] s'écrit « ch ».

>>> Voir partie III-2, [ʃ] – [ʒ] (pages 151-152). <<<

• [s] s'écrit :
– « s », « ss »,
– « c » (+ e, i, y), « ç » (+ a, o, u),
– « t » + « i » (+ voyelle).

>>> Voir partie III-2, [s] – [z] (pages 146-147). <<<

• [ʒ] s'écrit :
– « j »,
– « g » (+ e, i, y),
– « ge » (+ a, o, u).

>>> Voir partie III-2, [ʃ] – [ʒ] (pages 151-152). <<<

• [z] s'écrit « s » (entre deux voyelles) ou « z ».

>>> Voir partie III-2, [s] – [z] (pages 146-147). <<<

10 **Écrivez les mots suivants. Aidez-vous de votre dictionnaire.**

Exemples : [syʀʃaʀʒe] ➜ *surcharger, surchargez, surchargé.*
  [pɛizaʒ] ➜ *paysage.*

1. [ʃwaziʀ]   ➜ ....

2. [mustaʃ]   ➜ ....

3. [sɛʃlɛ̃ʒ]   ➜ ....

4. [ʀedʃose]   ➜ ....

5. [seʃʀɛs]   ➜ ....

6. [faʃismə]   ➜ ....

7. [ʒaluzi]   ➜ ....

8. [ʒenerøz]   ➜ ....

9. [ʒuʀnalism]   ➜ ....

10. [ʒøzolɛ̃pik]   ➜ ....

11. [fʀaʒilize]   ➜ ....

12. [kuʀaʒøzmɑ̃]   ➜ ....

Dictée

11 **Écoutez et écrivez.**

1. ....

2. ....

3. ....

4. ....

5. ....

6. ....

[s]

[ʃ]

[z]

[ʒ]

INTERPRÉTATION

12 **Lisez ce texte à voix haute, puis écoutez-le.**

Lisette

Y'a l'jardinier qui bêche
Y'a le pêcheur qui pêche
Y'a le pasteur qui prêche

Et pas un qui s'dépêche

Y'a l'jardinier qui bêche
Y'a le pêcheur qui pêche
Y'a le pasteur qui prêche

Y'a qu'Lisette qui s'dépêche

M. L. Chalaron

3 Les consonnes liquides
[R]

[R]

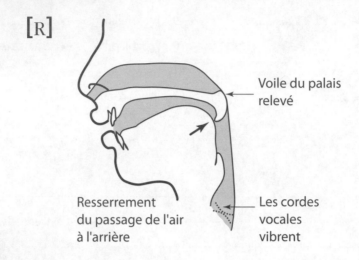

Voile du palais relevé

Resserrement du passage de l'air à l'arrière

Les cordes vocales vibrent

[R]

SENSIBILISATION

RUE DES FRANÇAIS LIBRES

VILLE D'ETAMPES

Place des Droits de l'Homme

DISCRIMINATION

1 Dans quel mot entendez-vous [ʀ] ? Dans le premier ou dans le second ?

		1	2
Exemples	à – art		✔
	1.	...	...
	2.	...	...
	3.	...	...
	4.	...	...

	1	2
père – paix	✔	
5.	...	...
6.	...	...
7.	...	...
8.	...	...

2 Entendez-vous [ʀ] à l'initiale, en finale ou entre deux voyelles ? Cochez.

		À l'initiale	À l'intervocalique	En finale
Exemples	gare			✔
	aéroport		✔	
	restaurant	✔		
	1.	...	...	...
	2.	...	...	...
	3.	...	...	...
	4.	...	...	...
	5.	...	...	...
	6.	...	...	...
	7.	...	...	...
	8.	...	...	...

[ʀ]

3 Entendez-vous le futur ou le conditionnel ? Cochez.

	Futur [-ɔ̃] ou [-e]		Conditionnel [-jɔ̃] ou [-je]	
Exemple	Nous aimerons y aller.	✔	Nous aimerions y aller.	
1.	Vous aimerez ?	...	Vous aimeriez ?	...
2.	Vous pourrez venir.	...	Vous pourriez venir ?	...
3.	Vous accepterez ?	...	Vous accepteriez ?	...
4.	Nous serons contents.	...	Nous serions contents.	...
5.	Vous aurez le temps ?	...	Vous auriez le temps ?	...

ARTICULATION

4 **Répétez (→). Allongez les voyelles avant le [ʁ].**

– [aaaaaʁ]	art	arrive	rive
– [ɡaaaaaʁ]	gare	garage	rage
– [maaaaaʁ]	mare	marathon	rate
– [kɔɔɔɔɔʁ]	corps	chorale	rale
– [dɔɔɔɔɔʁ]	dors	doré	ré
– [ɡɛɛɛɛɛʁ]	guerre	guérir	rire

5 **Lisez ces séries de verbes à voix haute, puis vérifiez votre prononciation.**

- [-waʁ]
  voir, savoir, boire, croire, s'asseoir
- [-ɛʁ]
  faire, plaire, se taire, se distraire
- [-iʁ]
  finir, venir, dire, rire, écrire, conduire

- [-yʁ]
  conclure, inclure, exclure
- [-ɛtʁ]
  connaître, apparaître
- [-dʁ]
  comprendre, apprendre, descendre, répondre

[ʁ]

6 **Complétez oralement avec le métier au féminin et le lieu. Vérifiez vos réponses et votre prononciation.**

Exemple : Le boulanger et la… sont dans leur…
*→ Le boulanger et la **boulangère** sont dans leur **boulangerie**.*

- Le charcutier et la… sont dans leur… → .....
- Le bijoutier et la… sont dans leur… → .....
- Le boucher et la… sont dans leur… → .....
- Le berger et la… sont dans leur… → .....
- L'épicier et l'… sont dans leur… → .....

↳ **Le suffixe « -er » se prononce toujours [e].**

7 **Formez les noms. Écrivez-les, puis vérifiez vos réponses et votre prononciation.**

Exemple : large → la largeur   *Exemple : courir → un coureur*

- longue → la ....
- haute → la ....
- profonde → la ....
- maigre → la ....
- mince → la ....

- dormir → un ....
- marcher* → un ....
- servir → un ....
- jouer* → un ....
- chômer* → un ....

↳ ***Le suffixe verbal « -er » se prononce toujours [e].***

8 Formez les adjectifs et formulez les phrases. Vérifiez vos réponses et votre prononciation.

Exemple : peur → Édouard est … → Édouard est peureux.

1. malheur → Oscar est ....
2. amour → Robert est ....
3. chance → Bachir est ....
4. colère → Albert est ....
5. paresse → Peter est ....
6. courage → Edgar est ....

↳ **Bonheur** → *Pierre est … → Pierre est heureux.*

9 Prononcez, puis vérifiez votre prononciation. Distinguez bien les paires de mots.

paré	pré	parent	prend
garant	grand	tarot	trop
pari	prix	garot	gros
paresse	presse	forêt	frais

RYTHME ET INTONATION

10 Répétez les phrases en respectant les groupes rythmiques.

[R]

- La porte / ne ferme plus.
- La fenêtre / ne s'ouvre plus.
- L'aspirateur / n'aspire plus.
- Le ventilateur / ne tourne plus.
- Mon imprimante / n'imprime plus.
- Mon ordinateur / ne marche plus.
- Mon répondeur / n'enregistre plus.
- Ma voiture / ne freine plus.

11 Répétez les phrases en respectant les groupes rythmiques et le schéma mélodique.

Exemple : Le prochain train / passera par Tours / ou par Orléans ?

- Le prochain concert / commencera à trois heures / ou à quatre heures ?
- Votre prochain président / sera de droite / ou de gauche ?
- Votre prochaine voiture / sera française / ou coréenne ?
- Votre prochain roman / se passera en Angleterre / ou en Irlande ?

12 Après une première écoute, donnez les réponses en même temps que le locuteur.

1. « Je voudrais un renseignement.
   — Je vous en prie. »
2. « On est en "période rouge" ?
   — Oui, c'est une période de gros trafic. »
3. « L'avion atterrit à quelle heure ?
   — À trois heures treize. »
4. « Où est la sortie ?
   — Tout droit, puis troisième porte à droite. »
5. « Le train de Paris a du retard ?
   — Non, pas de retard. Il sera à l'heure. »
6. « Vous avez les horaires Paris-Brest ?
   — Oui, là, sur le présentoir. »

13 Lisez ce texte à voix haute, puis vérifiez votre prononciation.

Une recette traditionnelle, rapide : *le gratin dauphinois.*
Ingrédients : pommes de terre, ail, beurre, sel et poivre, crème.

• Éplucher les pommes de terre et les découper en rondelles très minces.
• Frotter un plat avec de l'ail et du beurre.
• Disposer les pommes de terre par couches. Saler et poivrer.
• Recouvrir les pommes de terre avec la crème.
• Faire cuire à four moyen pendant une heure.
Pour un plat plus léger, remplacer la crème par du lait.

PHONIE GRAPHIE

• [ʀ] s'écrit « r » ou « rr ».
Attention ! « -er » = [e] :
– verbes à l'infinitif ➜ *parler, marcher, manger…* ;
– noms ➜ *boucher, boulanger, bijoutier…* ;
– adjectifs ➜ *léger, dernier, premier…*

[ʀ]

14 Sélectionnez, dans le chapitre, des mots avec le son [ʀ]. Notez-les.

[ʀ]	
« r »	« rr »
....	....
....	....
....	....

15 Écrivez les mots suivants. Aidez-vous de votre dictionnaire.

Exemples : [ʃɛʀ] ➜ cher.
[buʃʀi] ➜ boucherie.

1. [ɔʀœʀ] ➜ ....

7. [tʀwazjɛm] ➜ ....

2. [ɔʀɛʀ] ➜ ....

8. [ʀɑ̃sɛɲəmɑ̃] ➜ ....

3. [pʀɔfɔ̃dœʀ] ➜ ....

9. [bulɑ̃ʒʀi] ➜ ....

4. [kɔ̃sɛʀ] ➜ ....

10. [ɛ̃pʀimʀi] ➜ ....

5. [pʀɔʃɛ̃] ➜ ....

11. [ʃapitʀ] ➜ ....

6. [ʀətaʀde] ➜ ....

12. [paʀɛsø] ➜ ....

Dictée

16 Écoutez et écrivez.

1. ....

2. ....

3. ....

4. ....

5. ....

6. ....

INTERPRÉTATION

17 Lisez ce texte à voix haute, puis écoutez-le.

[R]

Dans une cellule. Un homme parle.

Je vais sortir.
Je vais retrouver ma famille.
Je vais retrouver mon lit.
Je vais retrouver mes couvertures. L'odeur de mes couvertures.
Je vais retrouver mon sommeil.

Je vais m'acheter des chaussures.
Je vais marcher.
Je vais marcher dans la rue.
Je vais marcher dans la rue le soir.
Et puis je vais rentrer chez moi.
Et puis je vais ressortir pour remarcher dans la rue, la nuit.

Et je rentrerai.
Et je dormirai. Je dormirai seul.
Et je me réveillerai et ça fera deux jours que je serai dehors.
Je me réveillerai et ça fera deux jours que je serai sorti.
Je vais avoir peur. Je vais connaître de nouvelles peurs.

Mohamed Rouabhi, « Intérieur nuit / extérieur jour »,
in Des mots pour la vie, Pièces courtes, éditions Pocket, 2000.

Les consonnes liquides
[l]

DESCRIPTION

[l]

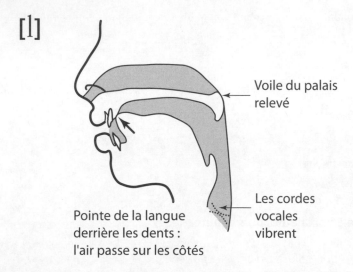

Voile du palais relevé

Les cordes vocales vibrent

Pointe de la langue derrière les dents : l'air passe sur les côtés

SENSIBILISATION

RUE LAKANAL

RUE GALILÉE

DISCRIMINATION

1 Dans quel ordre entendez-vous ces suites de sons ?

	1 [l]	2 [n]	3 [d]	
Exemple	lili	nini	didi	2 – 1 – 3
1.	lala	nana	dada	....
2.	loulou	nounou	doudou	....
3.	lolo	nono	dodo	....
4.	lala	nana	dada	....
5.	lili	nini	didi	....

2 Quelles suites entendez-vous ? Cochez.

	À l'initiale		À l'intervocalique		En finale	
Exemples	les nez nez les	✔	allô anneau anneau allô	 ✔	patte pâle pâle patte	✔
1.	l'or nord nord l'or	....	allée année année allée	....	mine mille mille mine	....
2.	long non non long	....	palot pataud pataud palot	....	mode molle molle mode	....
3.	ni lit lit ni	....	gâteau galop galop gâteau	....	saute saule saule saute	....
4.	lune dune dune lune	....	badaud ballot ballot badaud	....	code colle colle code	....

[l]

3 Quelle prononciation entendez-vous ? Cochez.

		Oral standard		Oral familier	
Exemples	Il va venir.	[il-va-və-niʀ]		[i-va-vniʀ]	✔
	Ils ne peuvent pas.	[il-nə-pœv-pa]	✔	[i-pœv-pa]	
1.	Ils ont compris.	[il-zɔ̃-kɔ̃-pʀi]	...	[i-zɔ̃-kɔ̃-pʀi]	...
2.	Ils ne lisent pas.	[il-nə-liz-pa]	...	[i-liz-pa]	...
3.	Il ne répond pas.	[il-nə-ʀe-pɔ̃-pa]	...	[i-ʀe-pɔ̃-pa]	...
4.	Il m'énerve.	[il-me-nɛʀv]	...	[i-me-nɛʀv]	...
5.	Il faut commencer.	[il-fo-ko-mɑ̃-se]	...	[i-fo-ko-mɑ̃-se]	...

↪ En français familier, le [l] de « il » et « ils » n'est pas toujours prononcé.

ARTICULATION

4 Répétez (↓) les mots dans toutes les positions (initiale, intervocalique, finale).

À l'initiale		À l'intervocalique		En finale	
dîne*	Line	Annie	Ali	Rhône	rôle
dot	lotte	année	allée	Seine	selle
datte	latte	anneau	allo	coude	coule*
tante	lente	matin	malin	dessine*	des cils
douve	louve	ce don	selon	à peine	appel

* Formes verbales de *dîner, couler, dessiner.*

5 Répétez les mots. Ne prononcez pas de voyelle entre la consonne et le « l ».

1. plus, plaît, plat, plan, plein
2. blé, bleu, bloc, blanc, blond
3. clé, clan, cloche, claque, client
4. flou, flan, flaque, flic, fleur
5. glisse, glousse, glace, glu, gland
6. souple, couple, double, rouble
7. table, sable, agréable, inoubliable
8. cible, sensible, terrible
9. angle, ongle, règle
10. siècle, socle, spectacle

[l]

6 Prononcez les phrases au masculin, puis au féminin. Faites les liaisons et les enchaînements. Vérifiez votre prononciation.

Exemples : Le nouvel_élève → *il_arrive, il_écoute, il_apprend, il_écrit, il_essaie.*
La nouvelle_élève → *elle_arrive, elle_écoute, elle_apprend, elle_écrit, elle_essaie.*

1. Le nouvel enseignant → il accueille, il appelle, il interroge, il explique, il encourage.

   La nouvelle enseignante → elle ......

2. Le nouvel amoureux → il écoute, il admire, il aime, il adore, il espère.

   La nouvelle amoureuse → elle ......

3. Le nouvel employé → il est ponctuel, il est un peu intimidé, il est appliqué.

   La nouvelle employée → elle ......

VARIATION : transformez les phrases au passé composé → *il a accueilli, il a appelé…, elle a accueilli…*

RYTHME ET INTONATION

7 Après une première écoute, répondez en même temps que le locuteur.
Respectez le nombre de syllabes.

2 syllabes	3 syllabes	4 syllabes	5 syllabes
→ ↗	→ → ↗	→ → → ↗	→ → → → ↗
« Il lit ?	« Il le lit ?	« Il lit au lit ?	« Il le lit au lit ?
— Il lit. »	— Il le lit. »	— Il lit au lit. »	— Il le lit au lit. »
« Elles lisent ?	« Elles le lisent ?	« Elles lisent au lit ?	« Elles le lisent au lit ?
— Elles lisent. »	— Elles le lisent. »	— Elles lisent au lit. »	— Elles le lisent au lit. »
	« Il l'a lu ?	« Il a lu au lit ?	« Il l'a lu au lit ?
	— Il l'a lu. »	— Il a lu au lit. »	— Il l'a lu au lit »

8 Allongez les phrases en respectant le rythme.

1. Elle est tellement malade.
Elle est tellement malade qu'elle est rentrée.
Elle est tellement malade qu'elle est rentrée chez elle.

2. Il a tellement plu.
Il a tellement plu qu'il y a de l'eau.
Il a tellement plu qu'il y a de l'eau dans toutes les rues.

[l]

9 Répétez en respectant le schéma mélodique.

→   → ↗ →   →   →→→
Exemple : C'est facile ou c'est difficile ?

– C'est utile ou c'est inutile ?
– C'est faisable ou c'est infaisable ?
– C'est légal ou c'est illégal ?
– C'est logique ou c'est illogique ?
– C'est lisible ou c'est illisible ?

10 Lisez à voix haute, puis vérifiez votre prononciation.

Lecteurs, lectrices : où lisez-vous ?
Quel est le meilleur endroit pour lire ? Seuls ? ou plongés dans la foule ? dans un salon tranquille ? allongés sur un lit ? blottis dans un fauteuil ? en plein soleil sur une plage ? sous un parasol ? dans le silence tranquille d'une bibliothèque ?…
Quel est, pour lire, votre lieu de prédilection* ?

* Votre lieu de prédilection : votre lieu favori, votre lieu préféré.

PHONIE-GRAPHIE

• [l] s'écrit « l » ou « ll ».

Attention !

– En général, « il(l) » se prononce [j] : *fille, feuille, réveil…*

>>> Voir partie III-2, [ʒ] – [j] (pages 156-157) <<<

– Quelques exceptions : *ville, mille, tranquille, Lille…* se prononcent [il].

– Dans quelques mots le « l » final ne se prononce pas : *un fusil, un outil, c'est gentil…*

11 **Sélectionnez, dans le chapitre, des mots avec le son [l]. Notez-les.**

[l]	
« l »	« ll »
....	....
....	....
....	....

12 **Écrivez les mots suivants. Aidez-vous de votre dictionnaire.**

Exemples : [ãbylãs] → *ambulance.*
            [bɛl] → *belle.*

1. [delisjø]   → ....

2. [ãplwaje]   → ....

3. [salamãʒe]   → ....

4. [ɛ̃teliʒãt]   → ....

5. [maløʁø]   → ....

6. [polysjɔ̃]   → ....

7. [ɛskalje]   → ....

8. [vilaʒ]   → ....

9. [vɔlkã]   → ....

10. [nasjonalite] → ....

11. [absolumã]   → ....

12. [ilegal]   → ....

[l]

Dictée

13 **Écoutez et écrivez.**

1. ....

2. ....

3. ....

4. ....

5. ....

6. ....

14 **Lisez ce texte à voix haute, puis écoutez-le.**

Il flâne

Le fleuve, un parc,
des rues, des places,
la mairie, une librairie

Il entre

Elle empile des livres
très haut sur une échelle
son talon glisse

Elle glisse

jusqu'à lui
ravi
qui rit

Ils rient

M. L. Chalaron

[l]

Les consonnes liquides
[ʀ] – [l]

SENSIBILISATION

DISCRIMINATION

1 Séparez les mots par une barre (/) chaque fois que vous entendez un changement de consonne.

Exemple : la   la   la   ra   ra   la   la   ra.

[…] […] […] / […] […] / […] […] / […]

1. […] […] […] […] […] […] […] […]

2. […] […] […] […] […] […] […] […]

3. […] […] […] […] […] […] […] […]

2 Un des deux mots est répété. Cochez-le.

	À l'initiale		À l'intervocalique		En finale	
Exemples	*la lame*	✔	*malin*		*mal*	
	la rame		*marin*	✔	*la mare*	✔
1.	le loup	…	un village	…	des cols	…
	la roue	…	un virage	…	des corps	…
2.	long	…	un aller	…	des bols	…
	rond	…	un arrêt	…	des bords	…
3.	la loi	…	des couleurs	…	des mails	…
	le roi	…	des coureurs	…	des mers	…
4.	le lit	…	des plis	…	des bals	…
	le riz	…	des prix	…	des bars	…

3 Entendez-vous [ʀ] ou [l] dans ces noms de pays ? Écrivez la lettre qui manque.

	À l'initiale	À l'intervocalique	En finale	[l] ou [ʀ] + c
Exemples	en Russie	au Mali	au Portugal	en Belgique
	au ...iban	au Pé...ou	à Madagasca...	en Tu...quie
	au ...wanda	en Ita...ie	au Népa...	en No...vège
	au ...aos	en Bo...ivie	au Sénéga...	en A...banie
	en ...oumanie	en Co...ée	en Équateu...	en A...gentine

ARTICULATION

4 Répétez (↓) les mots avec [ʀ] et [l] dans toutes les positions.

	[l]			[ʀ]	
Initiale	**Intervocalique**	**Finale**	**Initiale**	**Intervocalique**	**Finale**
lu*	salut	sale	ré	ciré	cire
lait	palais	pâle	roi	paroi	par
loup	Milou	mille	ri*	pourri*	pour
long	salon	salle	rein	terrain	terre
lin	malin	mal	rond	marron	mare
lent	bilan	bile	rat	serra*	serre

* Formes verbales de *lire, rire, pourrir, serrer*.

[ʀ]
[l]

5 Répétez (↓).

1. par la Lettonie
   par la Lituanie
   par la Roumanie
   par la Russie

2. sur le lac
   sur la lagune
   sur la rive
   sur la route

3. pour les libraires
   pour les lecteurs
   pour le roi
   pour la reine

4. vers la liberté
   vers la lumière
   vers le rivage
   vers le ruisseau

6 Notez les enchaînements et prononcez les phrases. Vérifiez votre prononciation.

Exemple : Voir‿et revoir.   *Exemple : J'ai mal‿au ventre.*

• Lire et relire.
• Cuire et recuire.
• Éteindre et rallumer.
• Perdre et retrouver.

• J'ai mal à la gorge.
• J'ai mal aux oreilles.
• J'ai mal au bras.
• J'ai mal au cœur.*

* *Avoir mal au cœur* : avoir des nausées.

7 Répétez (↓). Ne prononcez pas de voyelle entre la consonne et le « l » ou le « r ».

Exemples :

un plat blanc [ɛ̃-pla-blɑ̃]	*une grosse grippe* [yn-gʀos-gʀip]	*une pluie froide* [yn-plɥi-fʀwad]	*un gros client* [ɛ̃-gʀo-kli-jɑ̃]
une fleur bleue	un printemps gris	une plage bretonne	une grosse clinique
un fleuve anglais	un fruit frais	un blessé grave	un frigo plein
une place libre	une crème brûlée	un plat hongrois	un pré fleuri

RYTHME ET INTONATION

8 Lisez les questions à voix haute. Articulez distinctement. Vérifiez votre prononciation.

– Pourquoi la Terre tourne-t-elle ?

– Pourquoi la bière mousse-t-elle ?

– Pourquoi la colle colle-t-elle ?

– Pourquoi les voitures roulent-elles ?

– Pourquoi les perroquets parlent-ils ?

– Pourquoi les barbes poussent-elles ?

9 Pendant une première écoute, barrez les « e » qui ne sont pas prononcés, puis répétez ces phrases au futur en même temps que le locuteur. Respectez le schéma mélodique.

Exemples : S'en aller → *Elle s'en ira.*   Voyager → *Elle voyagera.*

• Série 1

Passer	→ On passera par l'Algérie.
Survoler	→ On survolera l'Afrique.
S'arrêter	→ On s'arrêtera à Madagascar.
Visiter	→ On visitera la Réunion.

• Série 2

Avoir	→ Il aura la valise avec l'argent.
Aller	→ Il ira à la gare.
Être	→ Elle sera là avec une autre valise.
Faire	→ Elle lui fera signe et ils échangeront les valises.

• Série 3

Finir	→ Ils finiront lundi.
Partir	→ Ils partiront mardi.
Revenir	→ Ils reviendront mercredi.
Reprendre	→ Ils reprendront le train vendredi.

10 Répétez en reprenant l'intonation proposée.

– Quelle horreur ! C'est horrible !

– Quel malheur ! C'est terrible !

– Quel spectacle ! C'est merveilleux !

– Quelle surprise ! C'est inimaginable !

– Quelle histoire ! C'est incroyable !

– Quelle drôle de chose ! C'est bizarre !

[ʀ]

[l]

1 Allongez les phrases. Répétez et respectez le rythme et le nombre de syllabes.

Exemple :

— — — — —

Monsieur Le Vaillant !

— — — — — — — — — —

Monsieur Le Vaillant ! C'est encore pour vous !

— — — — — — — — — — — — — —

Monsieur Le Vaillant ! C'est encore pour vous ! Un appel urgent !

1. Marjorie !
   Marjorie ! Téléphone !
   Marjorie ! Téléphone ! C'est pour toi !
   Marjorie ! Téléphone ! C'est pour toi ! Ton chéri !

2. Mademoiselle Bernardi !
   Mademoiselle Bernardi ! Vous avez un appel !
   Mademoiselle Bernardi ! Vous avez un appel ! Une belle voix étrangère.

12 Après une première écoute, réécoutez et jouez le rôle de « B », puis celui de « A ».

A — Apporte-moi un plat, s'il te plaît.
B — Quel genre de plat ?
A — Un grand plat.
B — D'accord, mais… un plat plat ou un plat creux ?
A — Un grand plat plat. *(B cherche.)* Un grand plat plat. *(Bruit de vaisselle.)*
B — Ovale ou rond ?
A — Ça m'est égal.
B — J'ai trouvé un grand plat avec des fleurs bleues.
A — Parfait, ça ira très bien. *(Bruit de vaisselle qui se brise.)*
B — M… Il a glissé.

[R]

[l]

13 Après une première écoute, lisez ce texte en même temps que le locuteur.
Respectez le rythme.

Assis à ma table, / je vois / par ma fenêtre / le ciel très bleu, / très clair, / les blés très blonds, / les branches d'un gros arbre, / un drapeau bleu et blanc / planté dans un pré. // J'entends au loin, / très loin, / les cloches d'une église / et, / plus près de moi, / le bruit de la mer. // Plus près encore, / j'entends une voix qui crie, / une porte qui claque, / un enfant qui pleure. // J'écris. //

PHONIE-GRAPHIE

- [R] s'écrit « r » ou « rr ».
- [l] s'écrit « l » ou « ll ».

14 Sélectionnez, dans le chapitre, des mots avec les sons [ʀ] et [l]. Notez-les.

[ʀ]		[l]	
« r »	« rr »	« l »	« ll »
....	....	....	....
....	....	....	....

15 Écrivez les mots suivants. Aidez-vous de votre dictionnaire.

Exemples : [pɛʀsɔnɛl] ➜ *personnel(le).* [fʀɔ̃tjɛʀ] ➜ *frontière.*

1. [ʀadjoloʒi]   ➜ ....

2. [libʀeʀi]   ➜ ....

3. [eliʀ]   ➜ ....

4. [teʀibl]   ➜ ....

5. [salɛʀ]   ➜ ....

6. [pʀɔbabləmɑ̃]   ➜ ....

7. [lɔkatɛʀ]   ➜ ....

8. [malœʀø]   ➜ ....

9. [milimɛtʀ]   ➜ ....

10. [ʃiʀyʀʒjɛ̃]   ➜ ....

11. [apɛl]   ➜ ....

12. [ɔʀdinatœʀ]   ➜ ....

Dictée

16 Écoutez et écrivez.

1. ....

2. ....

3. ....

4. ....

5. ....

6. ....

INTERPRÉTATION

17 Lisez ces textes à voix haute, puis écoutez-les.

Comptine
Le roi de carreau a dit
à la reine de cœur :
— Venez danser dans le trèfle.
Les valets de pique
feront la haie d'honneur
et vous ferez mon bonheur.

Le rossignol
Ti lou li lou lol
Ti lou li lou lol
Que ce soit un do
Que ce soit un sol
Tous mes trémolos
Volent volent volent
Rossi rossignol
Ti lou li lou lol

Louis Calaferte, « Les Oiseaux », *in Théâtre complet,*
Pièces baroques II, éditions Hesse, 1994 (p. 397).

Annexes

Les marques du français familier

élisions à l'oral

→ *t'* devant une voyelle : *Tu as fini ?* → *T'as fini ?*

→ *i* devant une consonne : *Il fait froid.* → *I fait froid.*

y a [ilija] → *y'a* [ja] : *Il y a trop de monde.* → *Y'a trop de monde* [jatʀodmɔ̃d].

rce que → *pasque* [paskə] : chute du [ʀ].

e … pas → la première partie de la négation est supprimée :

ne pars pas. → *Je pars pas.*

angement de consonnes

bserver [opsɛʀve].

crois [ʃkʀwa].

s de chance [patʃɑ̃s].

e grosse voiture [yngʀozvwatyʀ].

rasbourg [stʀazbuʀ].

Phonie-graphie : les voyelles

Vous entendez	S'écrit en général	Exemples	S'écrit parfois	Exemples	Attention !
[a]	a	la, ça, ami, café	à, â	à, grâce	femme [fam] Adverbes : fréquemment, récemment…
[wa]	oi	roi, loi, boire	oî	boîte, croître	
[i]	i	il, taxi, fille	î, ï	île, dîner, maïs	meeting
[y]	u	bus, mur, tu, voiture	û	sûr, dû	être : j'ai eu [y] (passé composé).
[u]	ou	vous, doux, sous, genou	où, oû	où, goût	foot, surbooking, coc boots… clown, blues, puddin
[e] syllabe ouverte	é er ez	entrée, thé, bébé entrer, premier, dernier entrez, nez, assez			
[ɛ] syllabe fermée	e + C ai + C ei + C è + C	merci, terre, sel, celle laine, bancaire, plaine reine, beige, pleine répète, achète, espère	aî ê	maître, connaître tête, bête, même	spécimen [spesimɛr
[ɛ] ou [e] syllabe ouverte	ai et ê	lait, balai, il voudrait ticket, poulet, bouquet arrêt, forêt, intérêt	ay ey	tramway, Uruguay jockey, trolley	
[ø] – [œ] [œj]	eu œu euil(le)	deux yeux, peu, dangereux seul(e), veuf, meuble œuf, cœur, sœur des œufs, des bœufs feuille, écureuil, fauteuil	eû ueil(le)	jeûne accueil(le), cueillez	un œil [œj]
[ə] instable [ø] – [œ]	e	le, je, ne, me venir, repas, semaine			monsieur [məsjø] je faisais [fəzɛ] vous faisiez [fəzje]
[o] [ɔ]	o au eau	métro, dos, photo, mot robe, choc, parole au, haut(e), faux chaud(e), autre, saute eau, cadeau, peau, beau	ô	tôt, bientôt, impôt	maximum, rhum [ʁɔm], album [albɔm] alcool [alkɔl]
[ɛ̃]	in yn ain (é)en ien un	lin, pin, lapin, juin, loin synthèse, synthétique demain, pain, bain européen, coréen, lycéen chien, le mien, il vient un, chacun, brun	im + p/b ym + p/b um + p/b	impossible, timbre symphonie, symbole humble, parfum	en (dans quelques mots) : agenda [aʒɛ̃d examen [ɛgzamɛ̃].
[ɑ̃]	an en	dans, plante, banque en, dent, enfin, envie, enfer	am + p/b em + p/b	campagne, chambre ensemble, temple	à jeun [ʒɛ̃]
[ɔ̃]	on	bon, mon, pont, maison	om + p/b	pompier, sombre	